THE LOUVRE
DER LOUVRE
HET LOUVRE
EL LOUVRE

SCALA

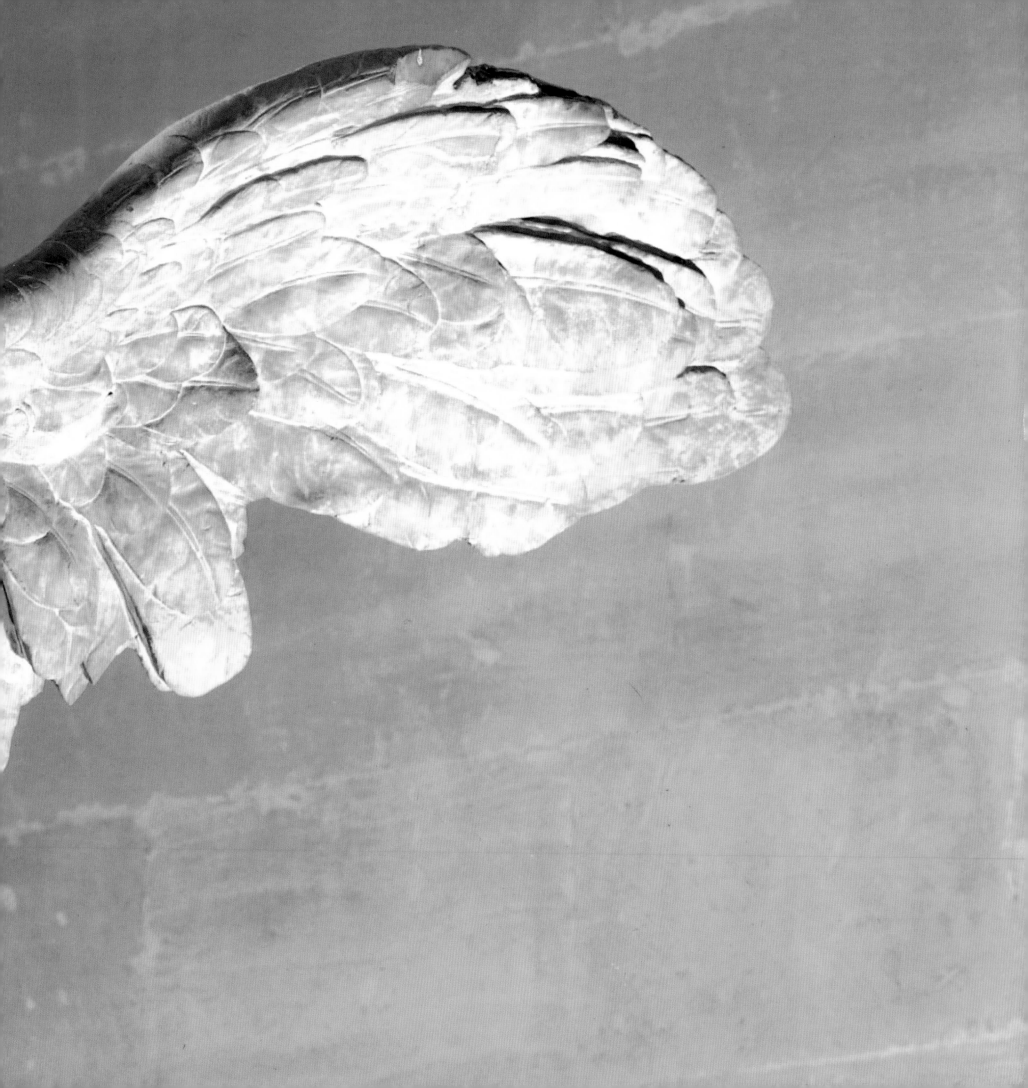

Contents

Inhalt

Inhoudsopgave

Índice

Introduction

The history of the Louvre is closely entwined with the history of France.

Built as a fortress in 1190, it became a royal residence under Francis I, who founded the royal collections. Successive kings all contributed to giving the Louvre its familiar appearance.

The building now known as the Louvre came into being under Henri IV when the Grande Galerie was built, joining the Louvre to the Tuileries Palace. Transformed into a museum in 1793, during the French Revolution, its collections grew rapidly thanks to Napoleon's conquests, donations, excavation campaigns and exchanges. The final phase of the transformation did not take place until 1882 when the ruins of the Tuileries Palace, gutted by fire in 1871, were finally demolished. No longer a seat of power, it was now wholly dedicated to art. In 1981 the architect Ieoh Ming Pei launched the Grand Louvre project to meet the changed display needs and create a new entrance, which took the form of a glass pyramid that would symbolise the renewal of the institution.

The museum's collections are divided into eight departments spanning eleven centuries of art history in Europe and the Mediterranean basin. A visit to the Louvre is like a journey through time and space that takes in the masterpieces of entire civilisations. The oldest nucleus includes Italian paintings. In the 18th century collections of Spanish, Dutch and Flemish art were added. Francis I and Louis XIV were responsible for expanding the royal collections considerably while the wars of Napoleon caused them to grow exponentially thanks to clauses in the peace treaties and armistices. From the 19th century onwards, excavation campaigns and donations contributed to making the collections increasingly rich and varied.

Einleitung

Die Geschichte des Louvre ist eng mit der Geschichte Frankreichs verbunden. Das im Jahr 1190 als Festung entstandene Gebäude wurde zum königlichen Wohnsitz Franz I., der damals mit der Gründung seiner königlichen Sammlungen begann. Seit jener Zeit leisteten alle nachfolgenden Könige einen Beitrag zum heutigen Aussehen des Louvre. Der aktuelle Komplex setzt sich aus zwei Gebäuden zusammen, dem Louvre selbst und den Tuilerien, die durch die unter der Herrschaft Heinrich IV. erbaute große Galerie verbunden sind. Die Sammlungen des im Jahr 1793, zur Zeit der Revolution, in ein Museum umgewandelten Baus erfuhren dank der Eroberungen Napoleons, der Schenkungen, Ausgrabungskampagnen und Tauschpolitiken ein beträchtliches Wachstum. Erst gegen Ende des 19. Jahrhunderts jedoch wurde der gesamte Komplex endgültig in ein Museum umgewandelt. Der Abbruch des 1871 bei einem Brand zerstörten Tuilerienpalastes im Jahr 1882 kennzeichnet die Geburt des modernen Louvre. Das Gebäude diente nicht länger als Machtsitz, sondern wurde fast vollständig der Kunst gewidmet. Aufgrund der Notwendigkeit, die Sammlungen neu zu präsentieren und einen anderen Zugang zum Museum zu schaffen, wurde 1981 das Projekt des Grand Louvre ins Leben gerufen. Die künftig als Eingang zum Museum dienende Glaspyramide des Architekten Ieoh Ming Pei wird zum Symbol dieser Erneuerung der Einrichtung. Die Sammlungen des Museums gliedern sich in acht Abteilungen, die elf Jahrhunderte der Kunstgeschichte Europas und des Mittelmeerbeckens abdecken. Ein Besuch des Louvre entspricht einer Reise durch Zeit und Raum zwischen den Meisterwerken ganzer Zivilisationen. Der älteste Kern umfasst die Gemälde italienischer Künstler. Später, im 18. Jahrhundert, kamen die Sammlungen spanischer, holländischer und flämischer Kunst hinzu. Vor allem Franz I. und Ludwig XIV. bereicherten die königlichen Sammlungen mit neuen Schätzen, aber auch die Kriegskampagnen Napoleons sorgten, insbesondere infolge entsprechender Klauseln in den Waffenstillstands- und Friedensverträgen, für ein außergewöhnliches Wachstum. Vom 19. Jahrhundert an erweiterten die Ausgrabungskampagnen und Schenkungen die Sammlungen des Louvre um neue und vielfaltige Werke.

Inleiding

De geschiedenis van het Louvre houdt strikt verband met de Franse geschiedenis.
In 1190 ontstaan als vesting, werd het koninklijk paleis onder Franciscus I die toen ook met de aanleg van de koninklijke collecties begon. Vanaf dat moment hebben alle daaropvolgende koningen een bijdrage geleverd om het Louvre de aanblik te verschaffen die wij vandaag kennen.
De huidige constructie is het resultaat van de verbinding van twee paleizen, die van het Louvre en die van de Tuilerieën, dankzij de realisatie van de Grande Galerie tijdens het rijk van Hendrik IV.
In 1793 werd het complex een museum en ten tijde van de Revolutie werden de collecties enorm uitgebreid dankzij de veroveringen van Napoleon, schenkingen, graafwerkzaamheden en een beleid van uitwisseling. De definitieve bestemming als museum van het gehele complex vond echter pas tegen het einde van de negentiende eeuw plaats. Met de sloop van het paleis van de Tuilerieën, in 1882, na een brand die het in 1871 verwoest had, ontstond het moderne Louvre: het paleis zou nu geen machtszetel zijn maar bijna uitsluitend aan kunst gewijd worden. Om de noodzaak het hoofd te bieden de collecties een nieuwe plaats te bieden en het museum een andere toegang te verschaffen, werd in 1981 het project Grand Louvre gestart dat in de glazen piramide – de nieuwe ingang van het museum - van de architect Ieoh Ming Pei, het symbool van de vernieuwing van het instituut museum vindt. De collecties van het museum zijn onderverdeeld in acht departementen die elf eeuwen kunstgeschiedenis van Europa en de landen rond de Middellandse Zee dekken: het Louvre bezoeken betekent reizen door de tijd en de ruimte, tussen de meesterwerken van volledige beschavingen. De oudste kern bevat schilderijen van de Italiaanse kunst. In de achttiende eeuw werden de collecties van Spaanse, Nederlandse en Vlaamse kunst toegevoegd. Vooral Franciscus I en Lodewijk XIV gaven de koninklijke collecties een speciale impuls maar de oorlogscampagnes van Napoleon zorgden voor een uitzonderlijke uitbreiding van de verzamelingen, mede dankzij clausules die in vredesverdragen en wapenstilstanden opgenomen werden. Vanaf de negentiende eeuw werden de collecties door opgravingen en donaties steeds rijker en gevarieerder.

Introducción

La historia del Louvre fue relacionada estrechamente con la historia francesa.
Nacido como fortaleza en 1190, fue residencia real con Francisco I, que al mismo tiempo comenzó con las colecciones reales. Desde entonces todos los reyes sucesivos contribuyeron para ofrecer a Louvre el aspecto con el cual hoy lo conocemos.
La construcción actual nace de la unión de dos palacios, el de Louvre y el de Tuileries, gracias a la realización de la Grande Galerie durante el reino de Enrique IV.
Transformado en museo en 1793 en los tiempos de la Revolución, vio crecer increíblemente sus colecciones gracias a las conquistas de Napoleón, las donaciones, las campañas de excavaciones y las políticas de intercambios. La definitiva consagración como museo de todo el complejo se produce sólo a fines del Siglo XIX. La demolición del palacio de Tuileries en 1882, después del incendio que lo había destruido en 1871, marcó el nacimiento de Louvre moderno: el palacio cesó de ser la sede del poder para estar dedicado casi completamente al arte. Para afrontar la necesidad de una nueva organización de las colecciones y de un acceso diferente al museo, en 1981 se pone en marcha el proyecto del Grand Louvre, que vio en la pirámide de vidrio del arquitecto Ieoh Ming Pei, un nuevo ingreso al museo, el símbolo de la renovación de la institución museal.
Las colecciones del museo se dividen en ocho departamentos, que cubren once siglos de historia del arte europeo y de la cuenca del mediterráneo: visitar Louvre significa viajar en el tiempo y en el espacio entre las obras maestras de enteras civilizaciones. El núcleo más antiguo incluye los cuadros de arte italiano. En el siglo XVIII se añadieron las colecciones de arte español, holandés y flamenco. Sobre todo, Francisco I y Luis XIV dieron un impulso particular a las colecciones reales, pero las campañas de guerra de Napoleón incrementaron de manera excepcional las colecciones, gracias también a cláusulas, incluso en tratados de paz y en los armisticios. Del siglo XIX en adelante, las campañas de excavaciones y las donaciones hicieron las colecciones siempre más ricas y variadas.

Oriental Antiquities

The department of Oriental Antiquities houses archaeological finds dating from 10,000 BC to the advent of Islam discovered in the Near and Middle East. This area of the world was home to a succession of civilisations including the Akkadians, Babylonians, Hittites, Assyrians and Elamites. The collection holds objects of great artistic and documentary value discovered during 19th and 20th century excavations in Phoenicia, Iran, Cyprus and Syria.
The section dedicated to Islamic art from the classical period – when Islam was spreading from Spain to India – represents one of the most interesting and valuable collections in Europe.

Orientalische Antike

Die Abteilung für Orientalische Antike sammelt archäologische Fundstücke aus dem Nahen und Mittleren Osten, die aus einer Zeit von 10.000 v.C. bis zum Anbruch des Islam stammen. In jenen Gebieten siedelten nacheinander die Zivilisationen der Akkader, Babylonier, Hethiter, Assyrer und Elamiten. Die Sammlung umfasst Fundstücke sehr hohen dokumentarischen und künstlerischen Werts aus den Ausgrabungskampagnen des 19. und 20. Jahrhunderts in Phönizien, Iran, Zypern und Syrien. Zur Abteilung gehört auch eine Sektion für islamische Kunstwerke aus der klassischen Epoche des Islam, als sich dieser von Spanien nach Indien ausbreitete. Sie kann als eine der interessantesten und wertvollsten Sammlungen Europas betrachtet werden.

Oosterse antiquiteiten

De afdeling Oosterse antiquiteiten bevat
archeologische vondsten uit het Nabije en Midden
Oosten vanaf 10.000 voor Chr. tot de intrede van de
Islam. In dit gebied hebben zich door de eeuwen heen
de beschavingen van de Akkadiërs, de Babyloniërs,
de Hittieten, de Assyriërs en de Elamieten elkaar
opgevolgd. De collectie bevat vondsten van zeer hoog
documentair en artistiek niveau, het resultaat van
opgravingen van de negentiende en twintigste eeuw
in Fenicië, Iran, op Cyprus en in Syrië.
Het departement bevat een deel dat aan islamitische
kunstwerken gewijd is die uit de klassieke tijd van
de Islam dateren, toen het zich van Spanje tot India
uitstrekte. Het betreft een van de interessantste en
kostbaarste verzamelingen van Europa.

Antigüedades orientales

El departamento de las Antigüedades orientales recoge
hallazgos arqueológicos provenientes del Cercano y
Medio Oriente desde 10.000 a.C. hasta el adviento
del Islam. En esta área se subsiguieron en los siglos
las civilizaciones de los Acadios, Babilónicos, Hititas,
Asirios y Elamitas. La colección conserva hallazgos
de muy alto nivel documentario y artístico, fruto de
las campañas de excavación del siglo XIX y XX en
Fenicia, Irán, Chipre y Siria.
El departamento posee una sección dedicada a las
obras de arte islámico, que remontan a la época clásica
del Islam, cuando se expandía de España a India,
constituyendo una de las más interesantes y preciosas
colecciones en Europa.

Sumerian tablet with cuneiform writing, clay
Sumerische Tafel mit Keilschrift, Lehm
Soemerisch tablet met spijkerschrift, klei
Tabla sumeria con inscripción en cuneiforme, arcilla
3200 BCE
4,5 x 7,2 x 1,5 cm / 1.8 x 2.8 x 0.6 in.

Statue of Ebih-il the Steward, from the Temple
of Ishtar, Mari, alabaster, shell and lapis lazuli
Statue des Aufsehers Ebih-il, aus dem Ischtar-Tempel,
Mari, Alabaster, Muscheln, Lapislazuli
Beeld van de intendant Ebih-il, uit de tempel
van Ishtar, Mari, albast, schelpen, lapis lazuli
Estatua del intendente Ebih-il, del templo de Ishtar,
Mari, alabastro, conchas, lapislázuli
2400 BCE
52,50 x 20,60 x 30 cm / 20.7 x 8.1 x 11.8 in.

Victory Stele of Naram-Sin, the Akkadian king, Susa, limestone
Siegesstele des akkadischen Königs Narâm-Sîn, Susa, Kalkstein
*Stele ter herinnering aan de overwinning van de Akkadische
koning Narâm-Sîn*, Susa, kalksteen
Estela conmemorativa de la victoria del rey acadio Narâm-Sîn,
Susa, caliza
2254-2218 BCE
200 x 105 cm / 78.7 x 41.3 in.

Gudea, prince of Lagash, statue known as "au vase jaillissant" dedicated to the goddess Gestinanna, Girsu, dolerite (basalt)
Statue des Gudea, Prinz von Lagasch, mit Wassersymbolik, so genanntem "sprudelndem Wasserkrug", der Gottheit Geschtinanna gewidmet, Girsu, Dolerit (Basaltgestein)
Gudea, prins van Lagash, beeld dat "met de sproeiende vaas" genoemd wordt, opgedragen aan de godin Geshtinana, Girsu, doleriet (basaltrots)
Gudea, príncipe de Lagash, estatua denominada "jarrón de la fuente de la vida" dedicada a la diosa Geshtinanna, Girsu, dolerita (roca basáltica)
2120 BCE
62 x 25,60 cm / 24.4 x 10.1 in.

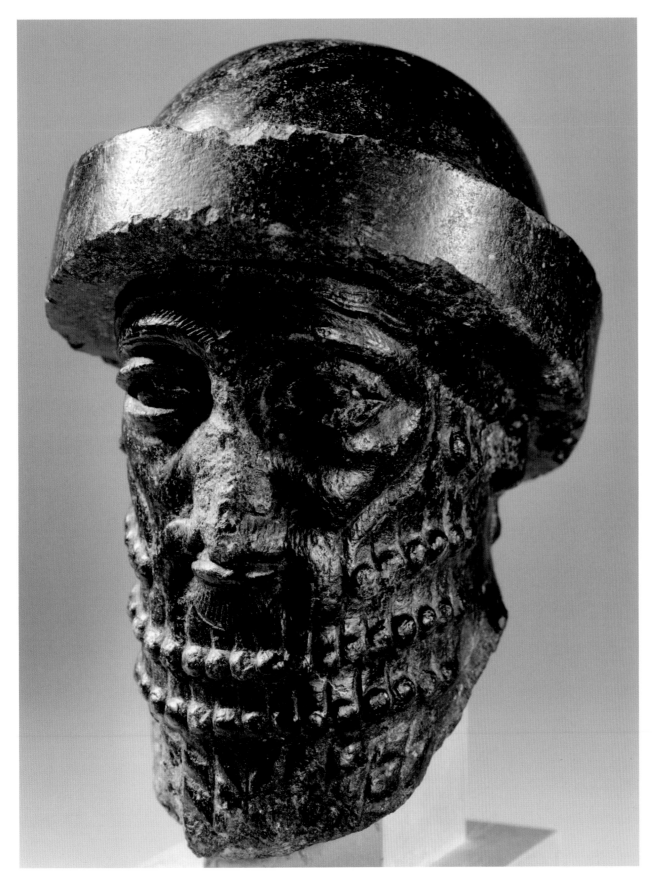

Royal head, known as the "Head of Hammurabi", Susa, diorite
Hammurabi zugeordneter Kopf eines Herrschers, Susa, Diorit
Koninklijk hoofd, bekend als "hoofd van Hammurabi", Susa, dioriet
Cabeza real denominada de Hammurabi, Susa, diorita
2000 BCE
9,7 x 15,20 x 11 cm / 3.8 x 6 x 4.3 in.

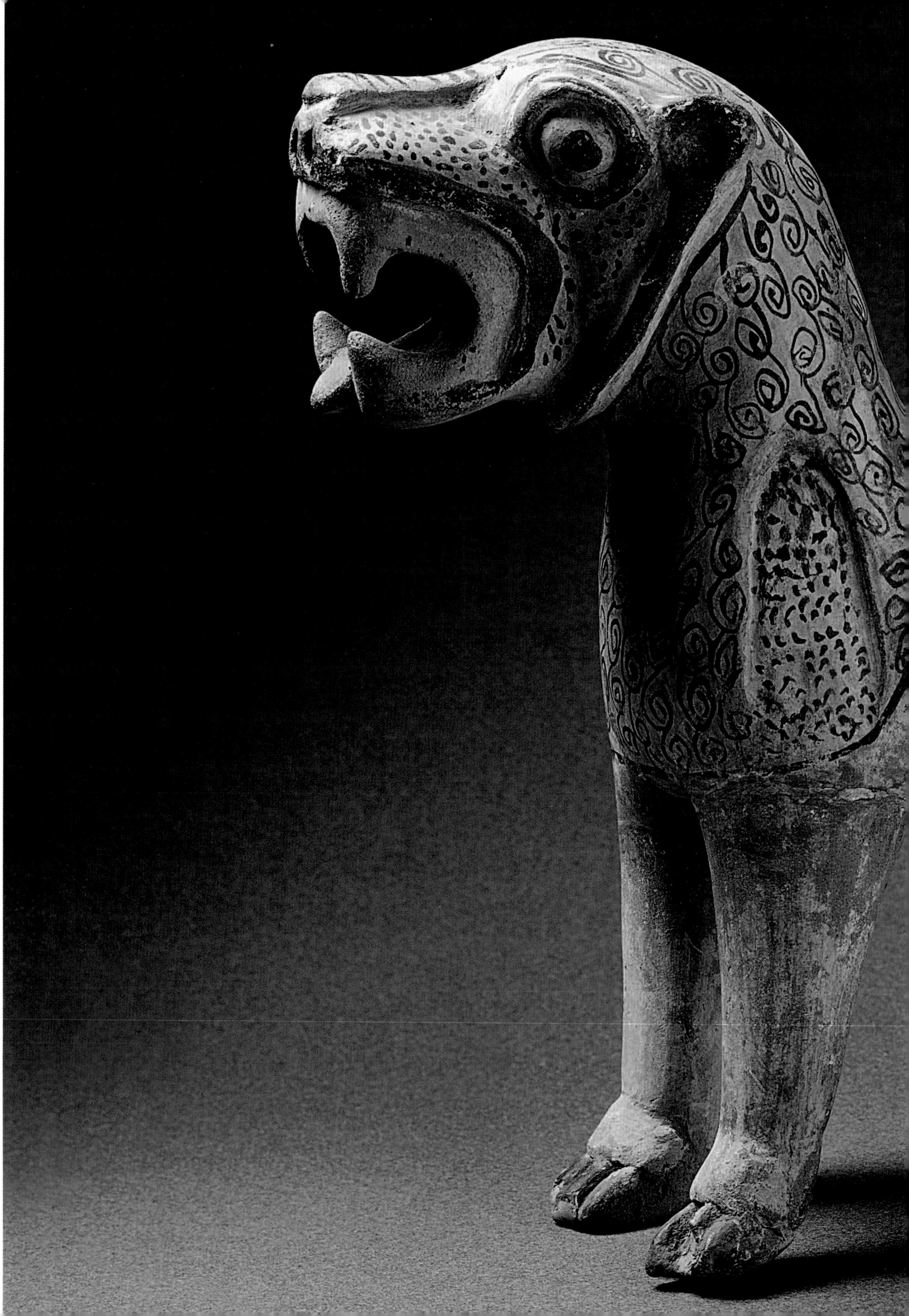

Lion-shaped rhyton (libation vessel), Kanesh, terracotta
Gefäß für Trankopfer (Rython) in Löwenform, Kanesch,
Terrakotta
Vaas voor drankoffers (rython) in de vorm van een leeuw,
Kanesh, terracotta
Vaso para libaciones (rython) con forma de león, Kanesh,
terracotta
1950-1600 BCE
20,5 x 21,5 cm / 8.1 x 8.5 in.

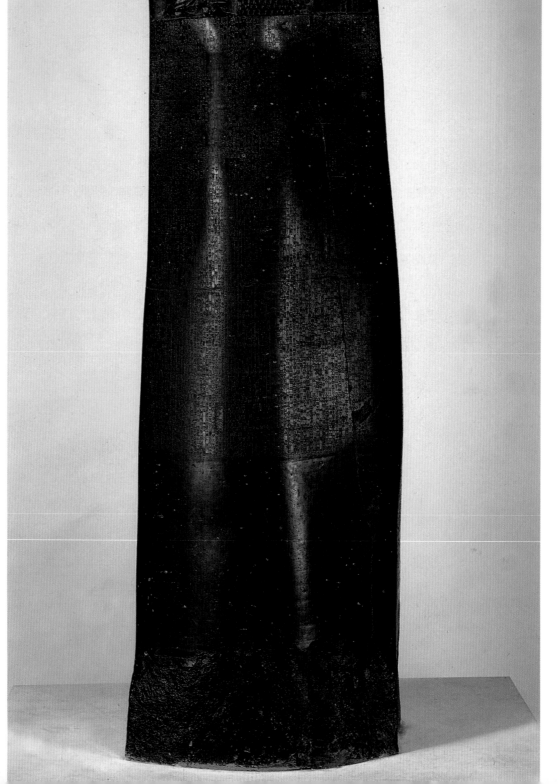

Code of Hammurabi, Susa, basalt
Kodex Hammurabi, Susa, Basalt
Code van Hammurabi, Susa, basalt
Código de Hammurabi, Susa, basalto
1792-1750 BCE
225 x 65 cm / 88.6 x 25.6 in.

Kudurru of the Kassite king Meli-Shipak II,
black limestone
Kudurru des kassitischen Königs
Meli-Schipak II., Schwarzer Kalkstein
Kudurru van de Kassitische koning
Meli-Shipak II, zwarte kalksteen
Kudurru del rey casita Meli-Shipak II,
caliza negra
1186-1172 **BCE**
65 x 30 x 19 cm / 25.6 x 11.8 x 7.5 in.

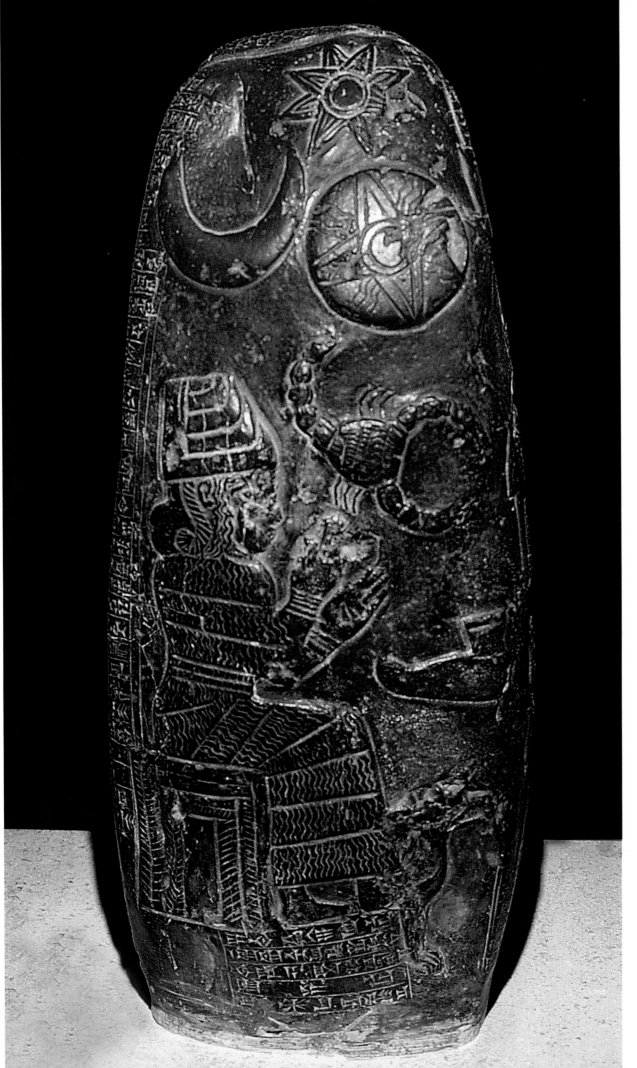

Kudurru of Nazi-Maruttash,
King of Babylon, Susa, limestone
Kudurru des Nazimaruttasch,
König von Babylon, Susa, Kalkstein
Kudurru van Nazi-Maruttash,
koning van Babylonië, Susa, kalksteen
Kudurru de Nazi-Maruttash,
rey de Babilonia, Susa, caliza
1307-1282 BCE

Kudurru of Marduk-zakir-shumi, detail, Uruk, limestone
Kudurru des Marduk Zakir Schumi, Detail, Uruk, Kalkstein
Kudurru van Marduk zakir Shumi, detail, Uruk, kalksteen
Kudurru de Marduk zakir Shumi, detalle, Uruk, caliza
850 BCE

"Unfinished" kudurru with gods, musicians,
animals and a horned serpent, symbol
of the god Marduk, Susa, white limestone
"Unvollendetes" Kudurru mit Göttern, Musikern,
Tieren und der Schlangengottheit Marduk, Susa,
Weißer Kalkstein
"Onvoltooide" kudurru met goden, muzikanten,
dieren en de slangengod Marduk, Susa, witte
kalksteen
Kudurru "incompleto", con dioses, músicos,
animales y el dios serpiente Marduk, Susa,
caliza blanca
1200 BCE
54 x 36 x 23,5 cm / 21.3 x 14.2 x 9.3 in.

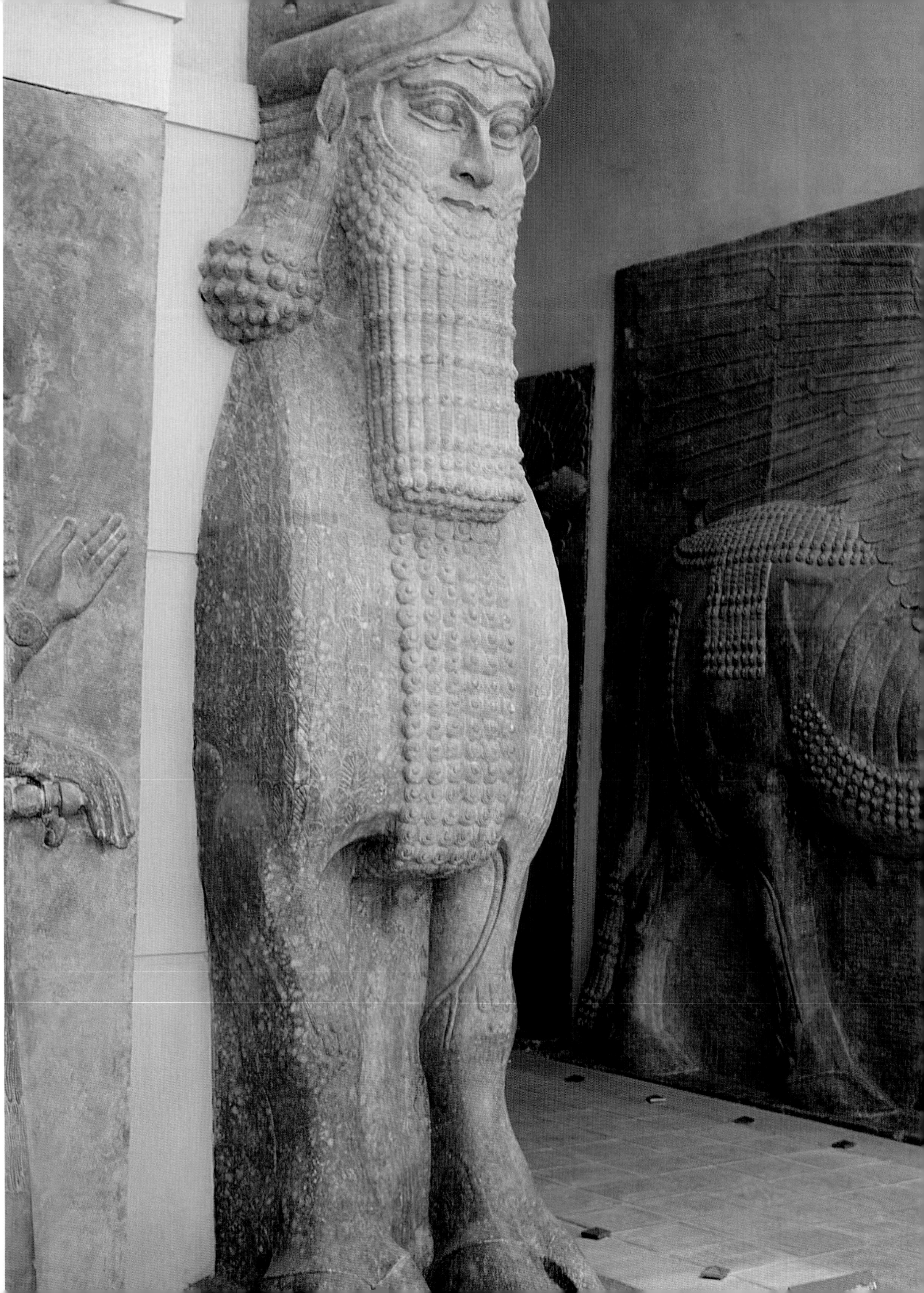

*Human-headed winged bulls from the entrance of the palace
of the Assyrian king, Sargon II*, Khorsabad, alabaster
*Geflügelte assyrische Stiere mit Menschenkopf von den Toren
des Palastes von König Sargon II.*, Khorsabad, Alabaster
*Gevleugelde Assyrische stieren met mensenhoofd, van de poorten
van het paleis van Sargon II*, Khorsabad, albast
*Toros alados asirios androcéfalos de las puertas del palacio
de Sargon II*, Khorsabad, alabastro
721-705 BCE
420 x 436 x 97 cm / 165.4 x 171.7 x 38.2 in.

Bactrian Princess wearing a kaunakes dress, Bactria,
chlorite and limestone
Baktrische Prinzessin in einem Kaunakeskleid, Baktrien,
Chlorite und Kalkstein
De prinses van Bactria met een Kaukenes gewaad, Bactria,
chloriet en kalksteen
La Princesa de Bactria con un traje Kaukenes, Bactria,
clorita y caliza
2000 BCE
h. 18,3 cm / 7.10 in.

▶ *Bushel with ibex motifs (funerary object)*, Susa acropolis,
painted terracotta
Grabkelch mit Steinbockdekoration, Akropolis von Susa,
Bemalte Terrakotta
Grafbeker met decoratie van steenbokken, acropolis van Susa,
beschilderde terracotta
Copa funeraria con decoración de íbices, acrópolis de Susa,
terracotta pintada
4200-3500 BCE
h. 28,90, ø 16,40 cm / h. 11.4, ø 6.5 in.

Statuette known as Scarface, Bactria, chlorite, calcite,
meteorite iron
Statue eines Schutzgeistes "Narbengesicht", Baktrien,
Chlorit, Kalkstein, Eisen
Offerschaal, genaamd "van de jacht", chloriet, calciet,
ijzermeteoriet
Estatuilla de genio llamada "Cara cortada", Bactria,
clorita, calcita, hierro
2100 BCE
12 x 5 cm / 4.7 x 2 in.

The Mistress of the Animals (cosmetics box lid),
Ugarit, ivory
*Die Herrin der Tiere (Deckel einer
Kosmetikschatulle)*, Ugarit, Elfenbein
*Patroon van de dieren (deksel van
cosmeticakistje)*, Ugarit, ivoor
*La dueña de los animales (tapa de caja de
cosméticos)*, Ugarit, marfil
1300-1200 BCE
h. 13,7 cm / 5.4 in

▶ *Hunting Patera*, Ugarit, hammered and
repoussé gold
Opferschale mit Jagdszene, Ugarit,
Gehämmertes und getriebenes Gold
Verguld bord met jachttafereel, Ugarit,
gehamerd en gegraveerd goud
Pátera llamada "de la caza", Ugarit,
oro martillado y repujado
1300-1200 BCE
ø 18,8 cm. / 7.41 in.

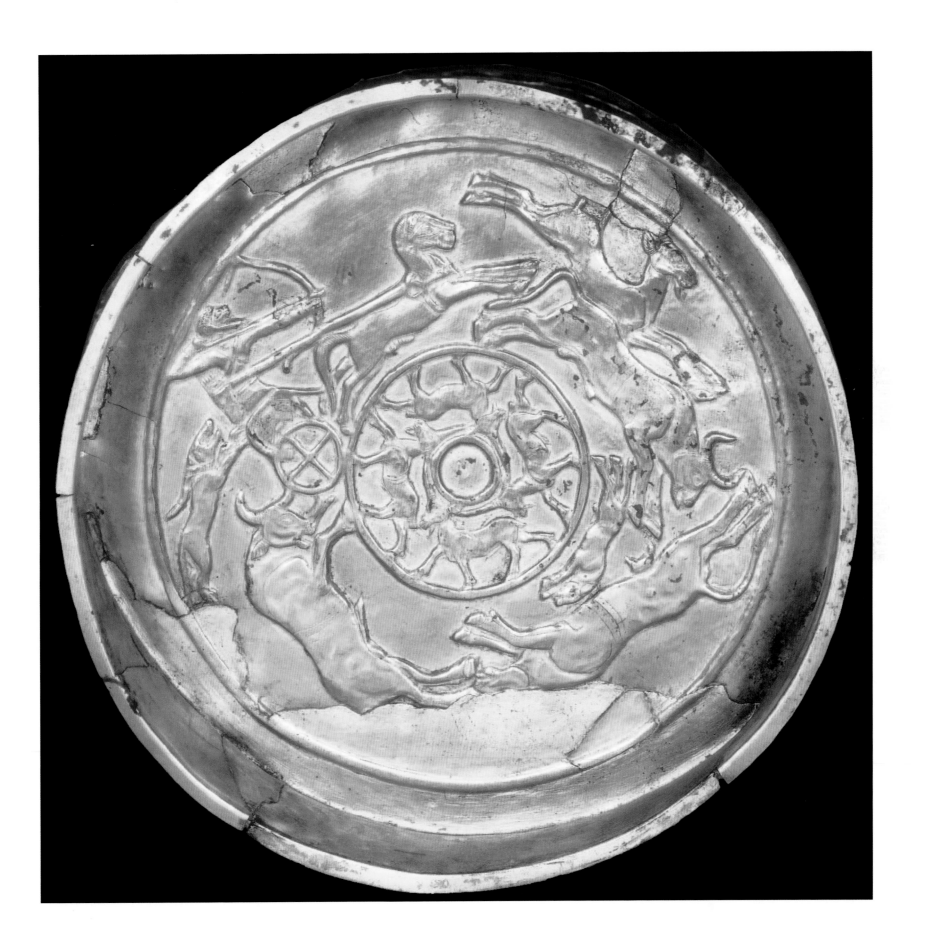

Hedgehog mounted on a carriage with casters, Temple of Inshushinak, Susa, bitumen mastic, calcite, limestone
Igel auf einem Sockel mit Rädern, Tempel des Inschuschinak, Susa, Bitumen, Kalzit, Kalkstein
Op basis met wielen gemonteerde egel, Tempel van Inshushinak, Susa, bitumen, calciet, kalksteen
Erizo montado en una base con ruedas, Templo de Inshushinak, Susa, alquitrán, calcita, caliza
1100 BCE
3,6 x 7,5 cm / 1.4 x 3 in.

Lion mounted on a carriage with casters, Temple of Inshushinak, Susa, bitumen mastic, calcite, limestone
Löwe auf einem Sockel mit Rädern, Tempel des Inschuschinak, Susa, Bitumen, Kalzit, Kalkstein
Op basis met wielen gemonteerde leeuw, Tempel van Inshushinak, Susa, bitumen, calciet, kalksteen
León montado en una base con ruedas, Templo de Inshushinak, Susa, alquitrán, calcita, caliza
1100 BCE
3,6 x 7,5 cm / 1.4 x 3 in.

Model of temple, known as Sit-Shamsi or "Ceremony of the rising sun, Susa, bronze
Modell einer Kultstätte für Sonnenaufgangszeremonien, das so genannte Sit-Schamschi, Susa, Bronze
Model van vereringsplaats, genaamd Sit-shamshi of "(cerimonie van de) zonsopgang", Susa, brons
Modelo de un lugar de culto, llamado Sit-shamshi o "ceremonia del sol que se alza", Susa, bronce
1150 BCE
60 x 40 cm / 23.6 x 15.7 in.

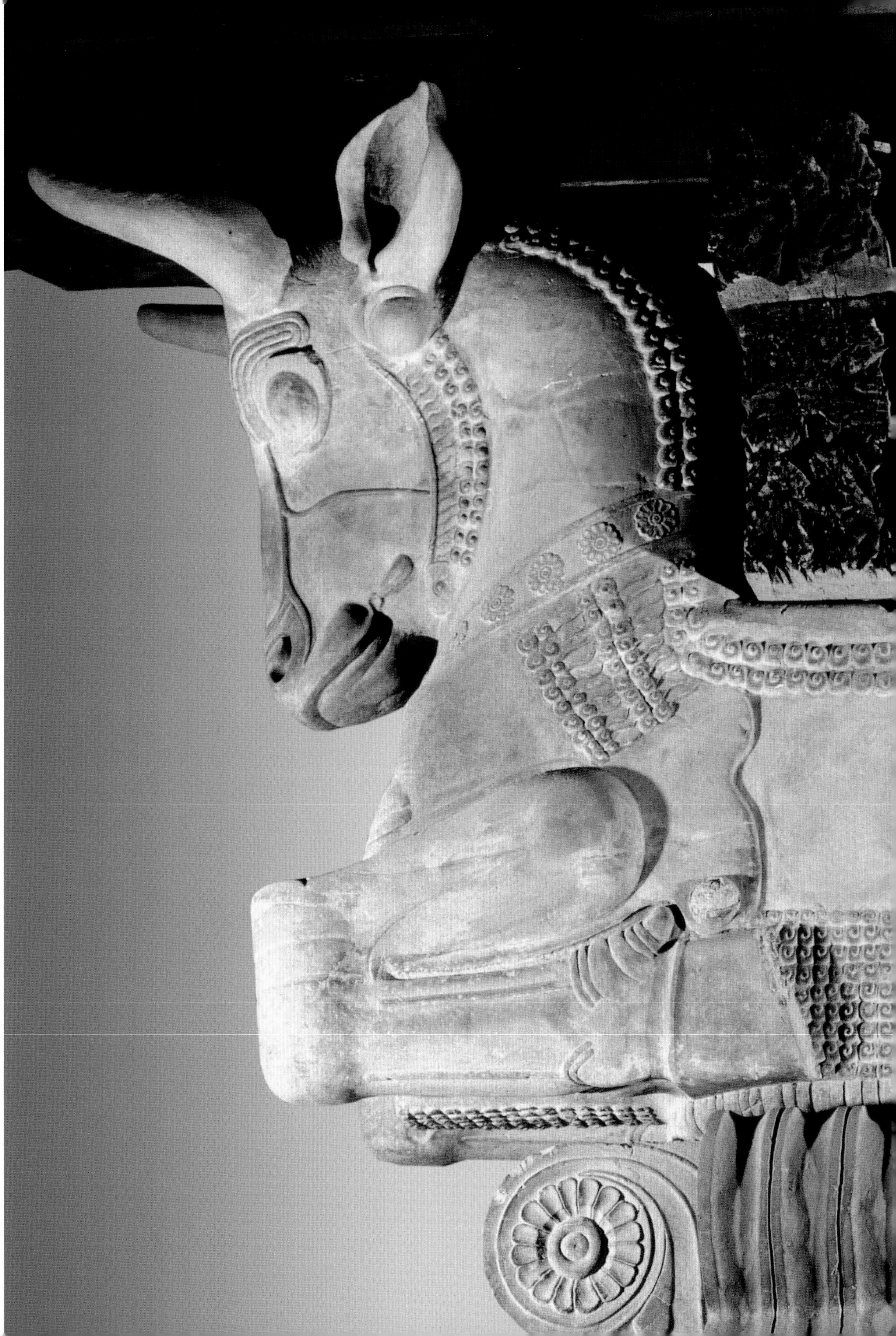

*Capital from a column of the Audience Hall
(Apadana) of the palace of Darius I, Susa,
limestone*
*Säulenkapitelle aus dem Audienzsaal (Apadana)
des Palastes von Darius I., Susa, Kalkstein*
*Kapitelen van een zuil van de hoorzaal
(Apadana) in het paleis van Darius I, Susa,
kalksteen*
*Capiteles de una columna de la sala de las
audiencias (Apadana) del palacio de Darío I,
Susa, caliza*
510 BCE

Vase handle in the form of a winged ibex,
Iran, gilded silver
*Henkel einer in Form eines geflügelten
Steinbocks gestalteten Vase*, Iran,
Teilweise vergoldetes Silber
*Handvat van een vaas in de vorm van een
gevleugelde steenbok*, Iran, gedeeltelijk
verguld zilver
Asa de un vaso con forma de íbice alado,
Irán, placa parcialmente dorada
400 BCE
27 x 15 x 10 cm / 10.6 x 5.9 x 3.9 in.

*Bust of Sassanid king
(Khosrau II?)*, Ladjvard,
Mazandaran, bronze
*Büste eines Königs,
vielleicht Cosroe II.*,
Ladjvard, Mazandaran,
Bronze
*Buste van koning,
misschien van Cosroe II*,
Ladjvard, Mazandaran,
brons
*Busto de rey, tal vez
Cosroe II*, Ladjvard,
Mazandaran, bronce
400-600 CE

Griffin from the palace of Darius I,
Susa, enameled tile frieze
Greif aus dem Palast von Darius I.,
Susa, Mehrfarbige verglaste Fliesen
Griffioen, uit het palies van Darius I,
Susa, polychrome tegels in glas
Grifo, del Palacio de Darío I, Susa,
azulejo vidriado policromo
510 BCE
422 x 165 cm / 166.1 x 65 in.

Archer's Frieze, Palace of Darius I, Susa,
enameled tile frieze
Bogenschützenfries aus dem Palast von
Darius I., Susa, Mehrfarbige verglaste
Fliesen
Fries van de boogschutters, uit het palies
van Darius I, Susa, polychrome tegels
in glas
Friso de los arqueros, del palacio
de Darío I, Susa, azulejo vidriado
policromo
510 BCE
475 x 375 cm / 187 x 147.6 in.

Falcon incense burner, Khorasan, Iran, openwork
bronze inlaid with glass paste
Parfümbrenner in Form eines Falken, Khorasan, Iran,
Bronze mit Gravur und Intarsien aus Glaspaste
Parfumbrander in de vorm van een valk, Khurasan, Iran,
geajoureerd en met glaspasta ingelegd brons
Quemador de perfumes con forma de halcón, Khurasan,
Irán, bronce perforado y taraciado con pasta de vidrio
1000-1100 CE

◀ *Dish with falconer on horseback*, Iran, fritware,
overglaze low-fired metallic gold lustre
Kelch des "Falkners", Iran, Siliciumkeramik mit
Überglasurdekoration in Form von Goldpolitur
Beker "van de valkenier-ridder", Iran, kiezelkeramiek
met decoratie "a piccolo fuoco" met gouden
metaalglans
Copa "del caballero halconero", Irán, cerámica silícea
con decoración "de pequeño fuego" con lustre áureo
metálico
1210 CE
h. 6,5, ø 22 cm / h. 2.6, ø 8.7 in.

Muhammad Ibn Al-Zain
Basin known as the "Baptistère of Saint Louis", Egypt or Syria, hammered bronze with gold, silver and niello inlay
Taufbecher, genannt "Baptisterium des Heiligen Ludwig", Ägypten oder Syrien, Getriebenes Messing mit Silber- und Goldinkrustationen
Doopvat, "Doopkapel van de heilige Lodewijk" genaamd, Egypte of Syrië, met goud en zilver inlegwerk gegraveerd koper
Gran bacina denominada "Baptisterio de San Luis", Egipto o Siria, latón repujado con incrustaciones de oro y plata
1320-1340 CE
h. 22,2, ø 50,2 cm / h. 8.7, ø 19.8 in.

Flask bearing the arms of Tuquztimur, Syria,
enameled glass
Langhalsige Flasche des Vizekönigs Tuquztimur,
Syrien, Lackiertes Glas
Fles met lange hals van de onderkoning Tuquztemur,
Syrië, geglazuurd glas
Botella de cuello largo del virrey Tuquztemur, Siria,
vidrio esmaltado
1342-1345
h. 50,5 cm / 5.9 in.

◀ *Peacock Dish*, Iznik (Turkey), terracotta, slip
and glaze decoration
Teller mit Pfauendekoration, Iznik (Türkei),
Terrakotta, "Ingobbio"-Dekoration mit
transparenter Glasur
Bord met pauwendecoratie, Iznik (Turkije), gouache
en goud op papier
Plato con decoración de pavos reales, Iznik (Turquía),
terracotta, decoración con engobe y vitrina
transparente
1525-1550
ø 37,5 cm / ø 14.8 in.

Page from the "Falnameh" (the book of prophecies) - Imam Reza vanquishes a "daeva" (demon), gouache and gold on paper
Seite aus dem "Fâlnâmeh" (dem Buch der Prophezeiungen) - der Imam Rezâ bekämpft einen "Div" (Dämon), Gouache und Gold auf Papier
Pagina uit de "Fâlnâmeh" (het boek van de voorspellingen) - Imam Rezâ bestrijdt een "Div" (demon), miniatuur
Página del "Fâlnâmeh" (el libro de las profecías) - el Imam Rezâ combate un "Div" (demonio), gouache y oro en papel
1550 *ca.*
59 x 44 cm / 23.2 x 17.3 in.

Carpet with animals, Kashan, silk
Teppich mit Tierdekorationen, Kashan, Seide
Tapijt met op dieren geïnspireerde decoraties,
Kashan, zijde
*Alfombra con decoraciones inspiradas
a los animales*, Kashan, seda
1500-1600

*Portrait of an Ottoman
dignitary, known as Portrait
of Mehmet Celebi I
(1389-1421)*, miniature
*Bildnis eines osmanischen
Würdenträgers, so genanntes
Bildnis des Mehmet Çelebi I.
(1389-1421)*, Miniatur
*Portret van een Ottomaanse
hoogwaardigheidsbekleder,
genaamd "portret van Mehmet
Çelebi I" (1389-1421)*,
miniatuur
*Retrato de un dignatario
otomano denominado retrato
de Mehmet Çelebi I
(1389-1421)*, miniatura
1550

*Princess Shirin receives Farhad in her palace - Episode from
Nizami's "Khamsa" (Quintet of Poems)*, miniature
*Die Prinzessin Schirin empfängt Farhad in ihrem Schloss -
Episode aus dem "Chamse" (Fünf Epen) des Nezami*, Miniatur
*Prinses Shirin ontvangt Farhad in haar kasteel - Episode uit
de 'Khamsa' (Vijf Poëmen) van Nizami*, miniatuur
*La princesa Shirin recibe a Farhad en su castillo - Episodio
del "Khamsa" (Cinco poemas) de Nizami*, miniatura
1500-1600

▶ *Persian miniature with scene of musicians*, miniature
Persische Miniatur mit Musikerszene, Miniatur
Perzische miniatuur met tafereel van muzikanten, miniatuur
Miniatura persa con escena de músicos, miniatura
1500-1600

Scene at water's edge, Iran, miniature
Uferszene, Iran, Miniatur
Tafereel aan de waterrand, Iran, miniatuur
Escena en el borde del agua, Irán, miniatura
1600-1700

Egyptian Antiquities

The Louvre's rich collection of Egyptian Art and Antiquities documents the civilisation of Ancient Egypt with finds dating from prehistoric to Christian period and originating from excavations and donations made between the 19th century and the present day. The most important donations made to the museum include the Clot, Tyszkiewicz, Delaporte, and Curtis collections, while the major excavation campaigns were carried out at Abou Roach, Assiout, Baouît, Médamoud, Tôd and Deir el-Médineh. The history of this section is permanently linked to Jean-François Champollion, the scholar who deciphered hieroglyphics for the first time and was appointed curator of the Department of Egyptian Antiquities in 1827.

Ägyptische Antike

Die extrem umfangreiche Sammlung von Kunst und Altertümern aus dem Alten Ägypten enthält Fundstücke, die auf Zeiten von der prähistorischen bis zur christlichen Epoche zurückdatiert werden können. Zusammengetragen wurde sie durch verschiedene Ausgrabungskampagnen und Schenkungen ab dem 19. Jahrhundert bis heute. Zu den Schenkungen gehören die Sammlungen Clot, Tyszkiewicz, Delaporte und Curtis, während die wichtigsten Ausgrabungskampagnen die von Abou Roach, Assiout, Baouît, Médamoud, Tôd und Deir el-Médineh umfassen. Die Geschichte der Abteilung ist mit dem Namen von Jean-François Champollion verbunden, dem als erstem die Entschlüsselung der Hieroglyphen gelang; er wurde 1827 zum Leiter der Abteilung für ägyptische Kunst ernannt.

Egyptische antiquiteiten

De zeer rijke verzameling Egyptische kunst en
antiquiteiten getuigt van de beschaving van het
Antieke Egypte en bevat vondsten die dateren uit
de periode prehistorie – christendom, die verzameld
zijn dankzij de opgravingen die elkaar vanaf de
negentiende eeuw tot heden opgevolgd hebben. Tot
de schenkingen die het museum aangeboden zijn,
behoren de collecties Clot, Tyszkiewicz, Delaporte
en Curtis terwijl de belangrijkste opgravingen die
van Abou Roach, Assiout, Baouît, Médamoud, Tôd
en Deir el-Médineh zijn. Aan de geschiedenis van
dit departement is de naam van de eerste vertaler
van het hiëroglyfenschrift verbonden: Jean-François
Champollion, die in 1827 tot conservator van het
Egyptische departement benoemd werd.

Antigüedades egipcias

La riquísima colección de arte y antigüedades egipcias,
testigo de la civilización del Antiguo Egipto, conserva
hallazgos que datan de la época prehistórica a la época
cristiana, recogidos gracias a campañas de excavaciones
y donaciones que se produjeron a partir del siglo XIX
hasta hoy. Entre las donaciones ofrecidas al museo
figuran las colecciones Clot, Tyszkiewicz, Delaporte,
Curtis, mientras las campañas de excavaciones más
importantes son las de Abou Roach, Assiout, de
Baouît, de Médamoud, de Tôd y de Deir el-Médineh.
A la historia del departamento se relaciona el nombre
del primer intérprete de los jeroglíficos Jean-François
Champollion, que fue nombrado conservador de la
sección egipcia en 1827.

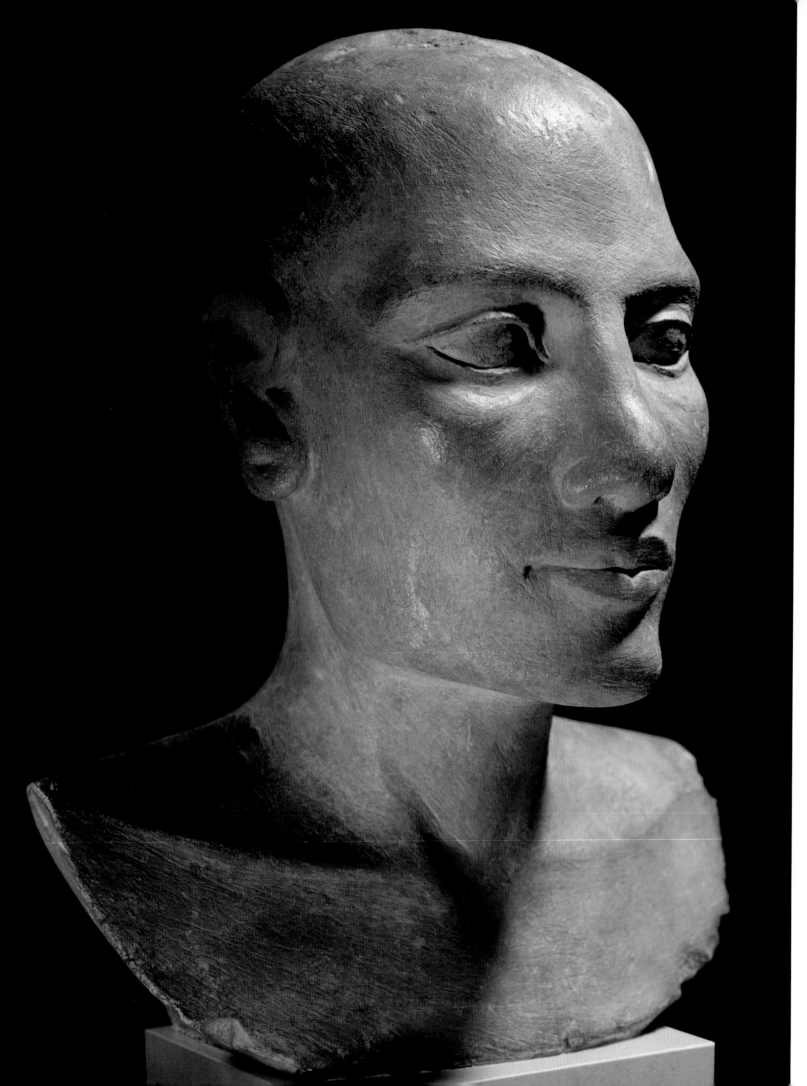

Male head known as the "Tête Salt",
painted limestone
*Männerkopf, der so genannte "Salt"-
Kopf*, Bemalter Kalkstein
Mannenhoofd, "Salt-hoofd" genaamd,
beschilderde kalksteen
Cabeza viril denominada Cabeza Salt,
caliza pintada
2700-2200 BCE
33,30 x 26,50 cm / 13.11 x 10.43 in.

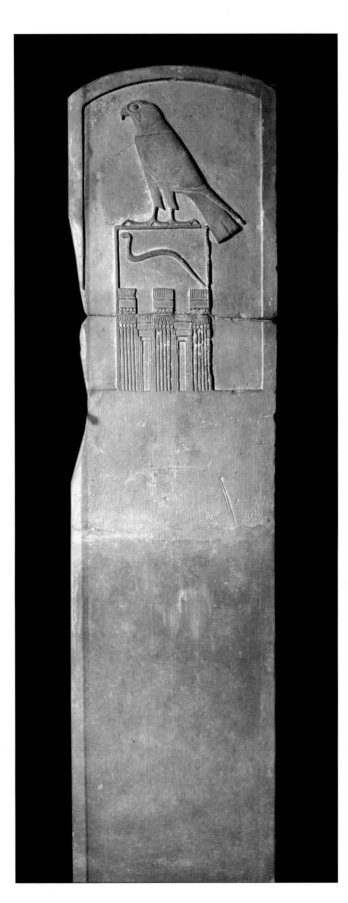

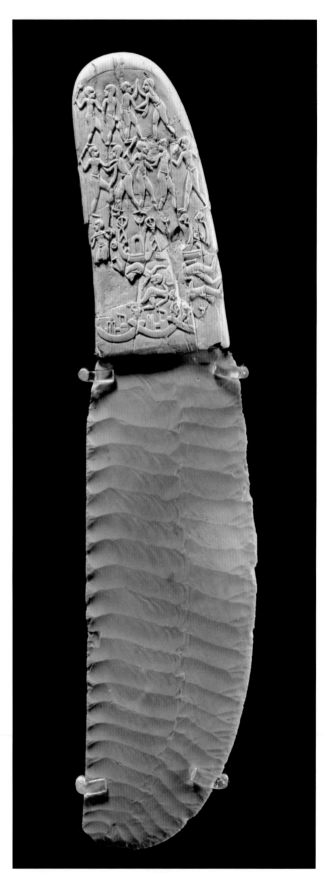

Stele of the Serpent King with a depiction of
Horus, Abydos, limestone
Grabstele des Königs Wadji ("Schlange")
mit Darstellung des Gottes Horus, Abydos,
Kalkstein
Stele van de Slangenkoning met voorstelling van de
god Horus, Abido, kalksteen
Estela del rey Serpiente con representación del dios
Horus, Abido, caliza
ca. 3100 BCE
143 x 65,5 x 25 cm / 56.3 x 25.8 x 9.8 in.

▶ *Gebel el-Arak knife*, ivory
Messer vom Gebel el-Arak, Elfenbein
Mes van Gebel el-Arak, ivoor
Cuchillo de Gebel el-Arak, marfil
3300-3200 BCE
h. 25,5 cm / h. 10 in.

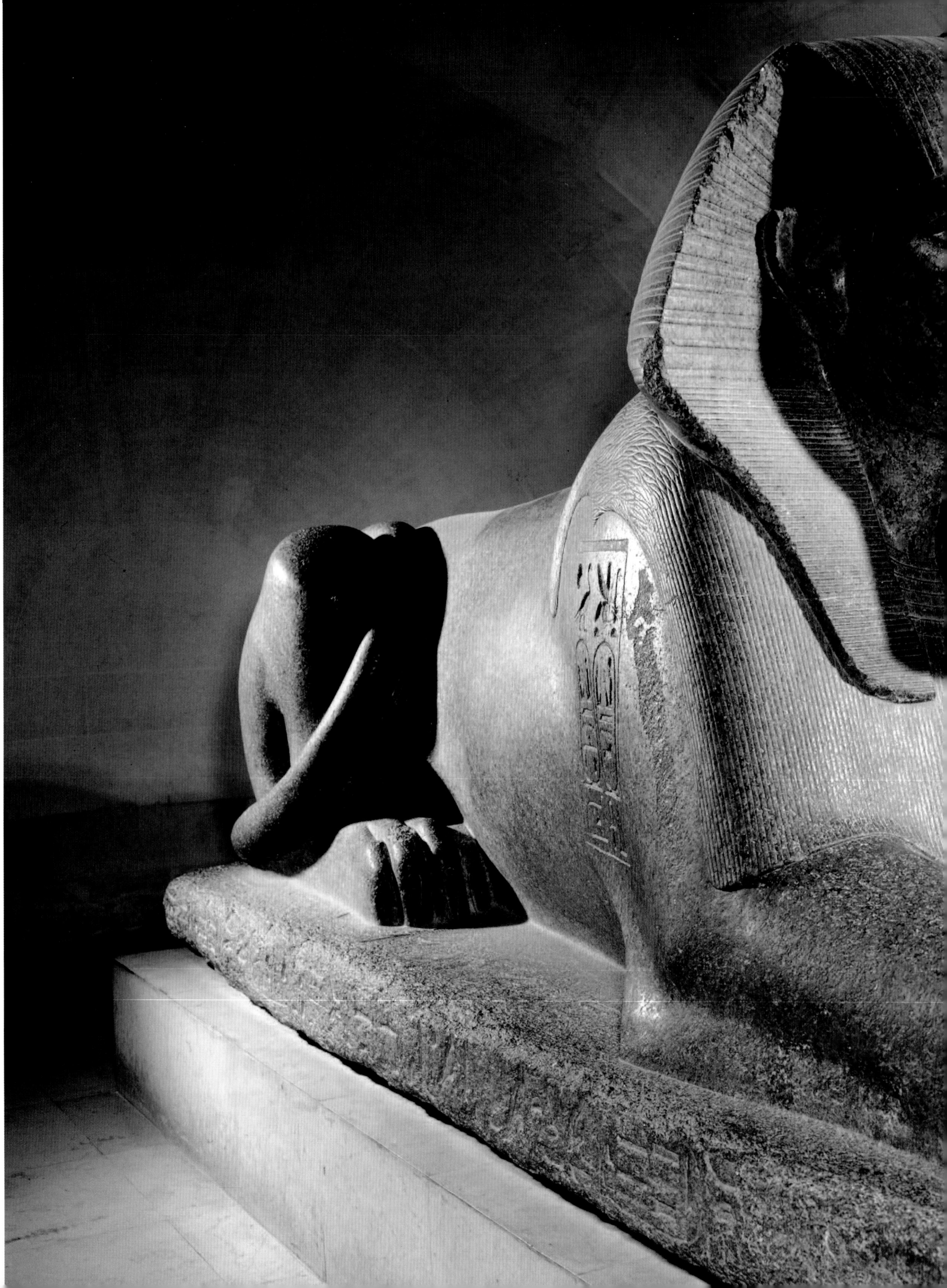

Great Sphinx, Tanis, granite
Große Sphynx, Tanis, Granit
Grote sfinx, Tanis, graniet
Grande esfinge, Tanis, granito
ca. 2620 BCE
183 x 480 x 154 cm /
72 x 189 x 60.6 in.

Seated Scribe, painted limestone
Sitzender Schreiber, Bemalter Kalkstein
Zittende kopieerder, beschilderde kalksteen
Escriba sentado, caliza pintada
2600-2350 BCE
53,7 x 44 x 35 cm / 21.1 x 17.3 x 13.8 in.

◄ *Stele of Nefertiabet*, painted limestone
Stele der Nefertiabe, Bemalter Kalkstein
Stele van Nefertiabet, beschilderde kalksteen
Estela de Nefertiabet, caliza pintada
ca. 2590 BCE
37,5 x 52,5 cm / 14.8 x 20.7 in.

Statue of Chancellor Nakhti,
painted acacia
*Statue des Aufsehers der
Dichtung Nakhti*, Bemaltes
Akazienholz
Beeld van de kanselier Nakhti,
beschilderd acaciahout
Estatua del canciller Nakhti,
madera de acacia pintada
1991-1928 BCE
178 x 49 x 110 cm /
70.1 x 19.3 x 43.3 in.

Offering bearer, painted wood
Opferbringerin, Bemaltes Holz
Offerdraagster, beschilderd hout
Portadora de ofrendas, madera
pintada
ca. 2000-1800 BCE
108 x 14 x 32 cm /
42.5 x 5.5 x 12.6 in.

Statue of Sesostris III as a young man, diorite
Statue des jungen Pharaos Sesostris III., Diorit
Beeld van de jonge farao Sesostris III, dioriet
Estatua juvenil del faraón Sesostris III, diorita
1862-1843 BCE
119 x 48 x 46 cm / 46.9 x 18.9 x 18.1 in.

◄ *Head of Amenemhat III*, limestone
Kopf des Pharaos Amenemhet III., Kalkstein
Hoofd van farao Amenemhat III, kalksteen
Cabeza del faraón Amenemhat III, caliza
1843-1798 BCE
7,5 x 7,3 x 7,9 cm / 3.0 x 2.9 x 3.1 in.

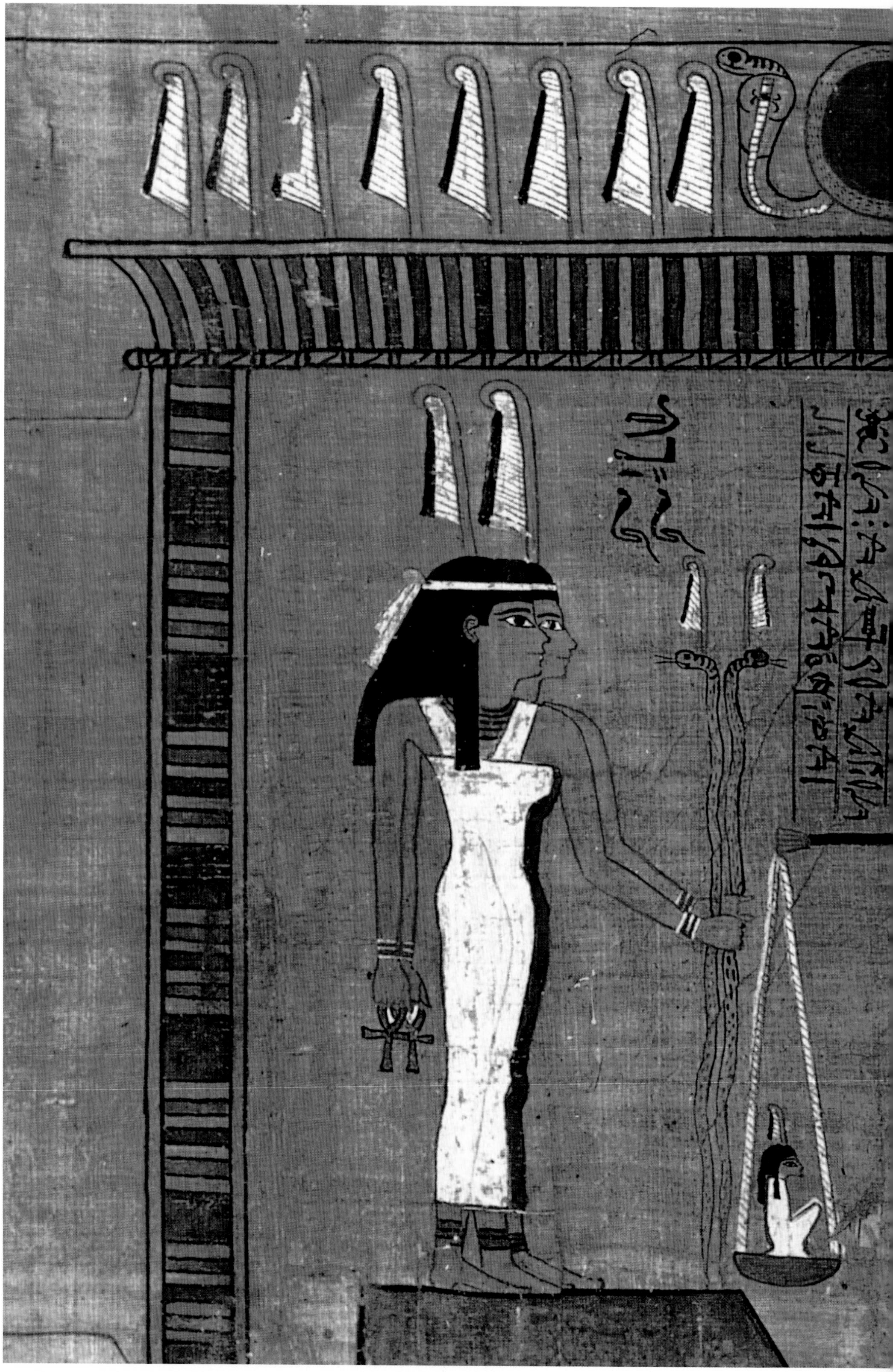

Funerary papyrus
Grabpapyrus
Grafpapyrus
Papiro fúnebre
1550-1293 BCE

Cosmetics spoon in the form of a duck and swimming girl, wood and ivory
Kosmetiklöffel in Gestalt einer Ente und eines schwimmenden Mädchens, Holz und Elfenbein
Cosmeticalepel in de vorm van eend en zwemmend meisje, hout en ivoor
Cuchara para cosméticos con forma de pato y muchacha que nada, madera y marfil
ca. 1400 BCE
29 x 5,5 cm / 11.42 x 2.17 in.

▶ *Cup decorated with fish*, faience
Mit Fischen verzierter Becher, Majolika
Met vissen gedecoreerde beker, majolica
Copa decorada con peces, mayólica
1550-1292 BCE

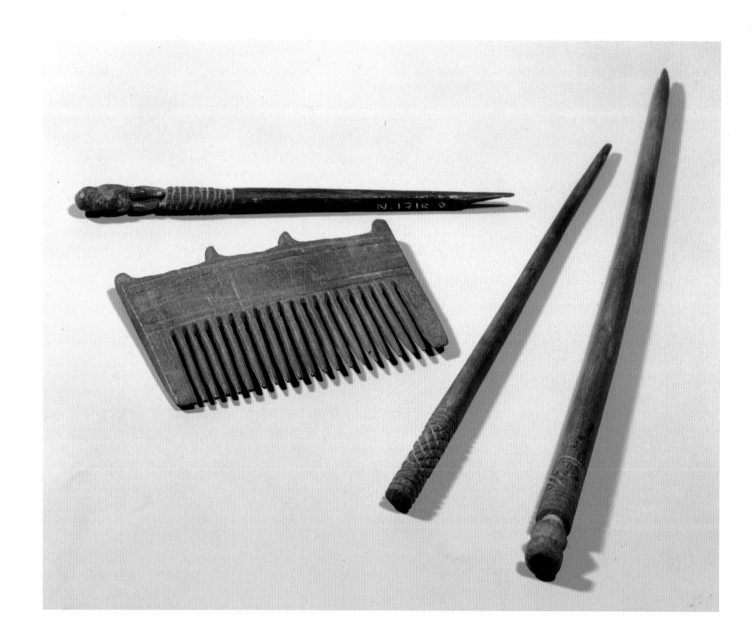

Comb and hair pins, wood
Kämm und Haarnadeln, Holz
Haarkam en -spelden, hout
Peine y horquillas para peinados, madera
1500-1070 BCE

Statue of Horus, bronze
Statue des Gottes Re, Bronze
Beeld van de god Rê, brons
Estatua del dios Re, bronce
1550-1069 BCE
h. 7,7 cm / 3 in.

Ring with horses, gold and carnelian, cloisonné inlays
Ring mit Pferden, Gold und in Cloisonné-Technik
eingefasster Karneol
Ring met paarden, goud en cornaline met cloisonné inzetting
Anillo con caballos, oro y cornalina engarzada con cloisonné
1279-1213 BCE
ø 2,20 cm / ø 0.9 in.

▶ *Bowl given by Tuthmosis III to General Djehuty*, engraved and chased gold
Kelch, Geschenk des Thutmosis III. an General Djehouty, mit Gravur und Treibarbeit verziertes Gold
Door Tuthmosis III aan generaal Djehouty geschonken beker, gedecoreerd goud met gravures en inkrassingen
Copa donada por Tuthmosis III al general Djehouty, oro decorado con grabado y repujado
ca. 1490-1439 BCE
h. 2,2 x ø 17,9 cm / h. 0.9 x ø 7 in.

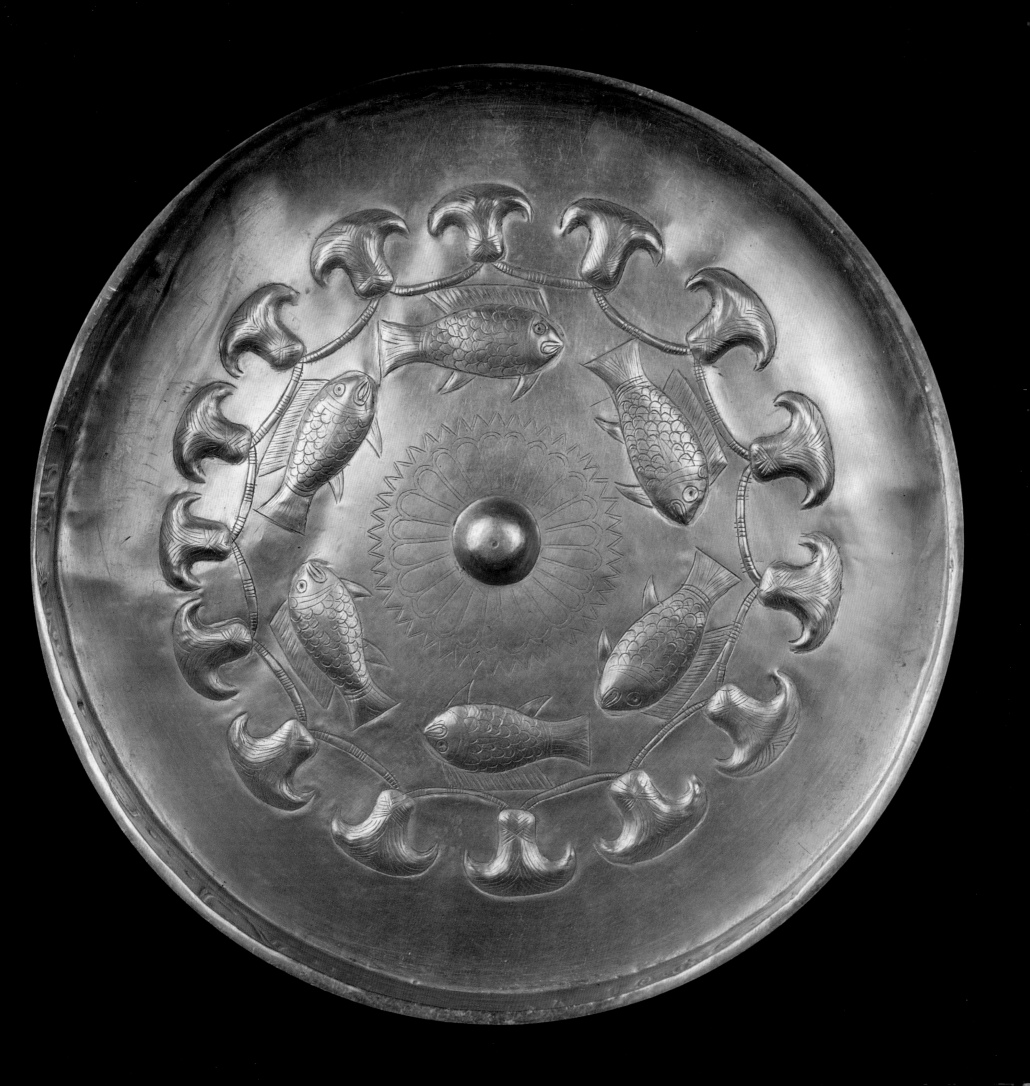

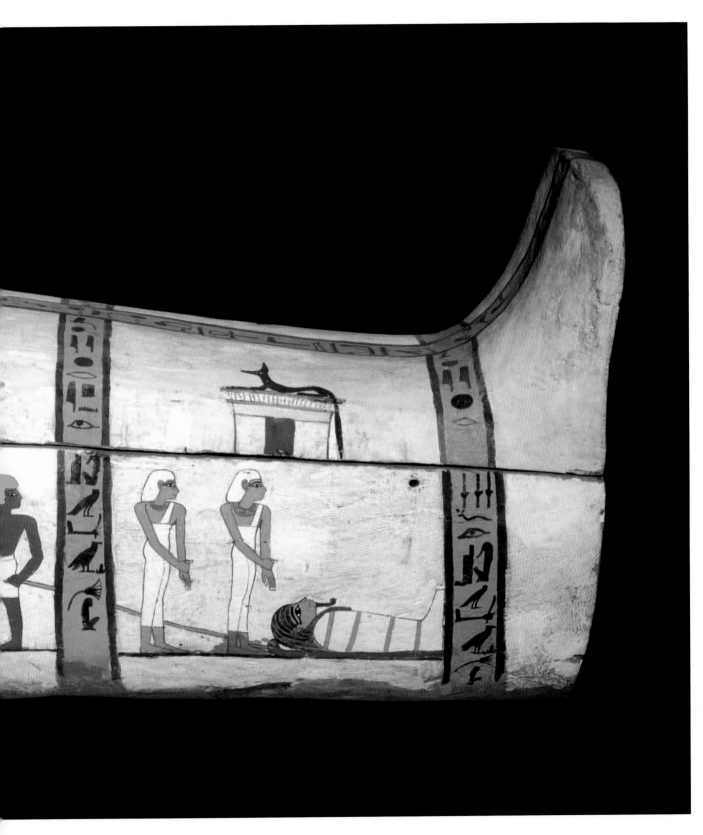

Sarcophagus of Madja, painted wood
Sarkophag der Edelfrau Madja, Bemaltes Holz
Sarcofaag van de edelvrouw Madja, beschilderd hout
Sarcófago de la noble dama Madja, madera pintada
1450 BCE
62 x 46 x 184 cm / 24.4 x 18.1 x 72.4 in.

Animals among papyrus, fragments from
the floor of the palace of Amenophis
at El Amarna, painted clay
Tiere zwischen Papyrusstauden,
Fußbodenfragmente aus dem Palast
Amenophis in Tell el-Amarna,
Lehmmalerei
Dieren tussen de papyrussen, fragmenten
van de vloer van het paleis van
Amenophis in El Amarna, verf op klei
Animales entre los papiros, fragmentos
del piso del palacio de Amenophis en
El, Amarna, pintura en arcilla
1450-1400 BCE
74,5 x 43 cm / 29.3 x 16.9 in.

Figurine of the "Lady Nay", painted
gilded conifer wood
Statuette, so genannte "Dame Nay",
Bemaltes und vergoldetes Nadelholz
Beeldje van de "Nay dame", beschilderd
en verguld coniferenhout
Estatua denominada "La dama Nay",
madera de conífera pintada y dorada
1391-1353 BCE
31 x 5,9 x 12,2 cm / 12.2 x 2.3 x 5.9 in.

Statue of the goddess Sekhmet, Karnak,
diorite
Statue der Göttin Sekhmet, Karnak,
Diorit
Beeld van de godheid Sekhmet, Karnak,
dioriet
Estatua de la divinidad Sekhmet,
Karnak, diorita
1391-1353 BCE
229 x 61 x 105 cm / 90.2 x 24 x
41.3 in.

Akhenaten and Nefertiti, painted sandstone
Echnaton und Nofretete, Bemalter Sandstein
Akhenaton en Nefertiti, beschilderde zandsteen
Akhenaton y Nefertiti, arenisca dipinta
1345-1337 BCE
22,2 x 12,3 x 9,8 cm / 8.7 x 4.8 x 3.9 in.

◀ *Arrival of the deceased before the Lord of the
Dead*, detail from the *Book of the Dead of the scribe
Nebqed*
Ankunft des Toten am Hofe der Gottheit der Unterwelt,
Detail aus dem *Totenbuch des Schreibers Nebqed*
*Aankomst van de overledene aan het hof van de
godheid van het hiernamaals*, detail van het
Dodenboek van de kopieerder Nebqed
*Llegada del difunto a la corte de la divinidad del
más allá*, detalle del *Libro de los Muertos del escriba
Nebqed*
1391-1353 BCE
l. 630 cm / 248 in.

Body of a woman, possibly Nefertiti, dark red quartzite
Weiblicher Körper, vielleicht Nofretete, Dunkelroter siliciumhaltiger Sandstein
Vrouwenlichaam, misschien van Nefertiti, donkerrode verkiezelde zandsteen
Cuerpo femenino, tal vez Nefertiti, arenisca silificada rojo-oscuro
ca. 1365-1349 BCE
h. 29 cm / 11.4 in.

Amenophis IV-Akhenaten, fragment
of a pillar from a temple east
of Karnak, painted sandstone
Der Pharao Amenophis IV.-Echnaton,
Pfeilerfragment eines Tempel von Karnak,
errichteten Gebäudes, ursprünglich
bemaltes Steingut
Farao Amenophis IV-Akhenaton, fragment
van pilaar van een gebouw ten Tempel van
Karnak, oorspronkelijk beschilderd gres
El faraón Amenophis IV-Akhenaton,
fragmento de pilar de un Templo
construido al este de Karnak, gres
originariamente pintado
ca. 1365- 1349 BCE
137 x 88 x 60 cm / 53.9 x 34.6 x 23.6 in.

The god Amun protecting Tutankhamun, diorite
Der Gott Amun, der Tutankhamun beschützt, Diorit
De god Amon die Tutankhamon beschermt, dioriet
El dios Amón que protege Tutankhamon, diorita
1336-1327 BCE
220 x 78 x 44 cm / 86.6 x 30.7 x 17.3 in.

Dydy and his son Pendoua, master carpenters, Deir el-Médineh, limestone
Dydy und sein Sohn Pendoua, Zimmermeister, Deir el-Médineh, Kalkstein
Dydy en zijn zoon Pendoua, timmermeesters, Deir el-Médineh, kalksteen
Dydy y su hijo Pendoua, maestros caripinteros, Deir el-Médineh, caliza
ca. 1300 - 1250 BCE
31.50 x 17 x 19.80 cm / 12.4 x 6.69 x 7.7 in.

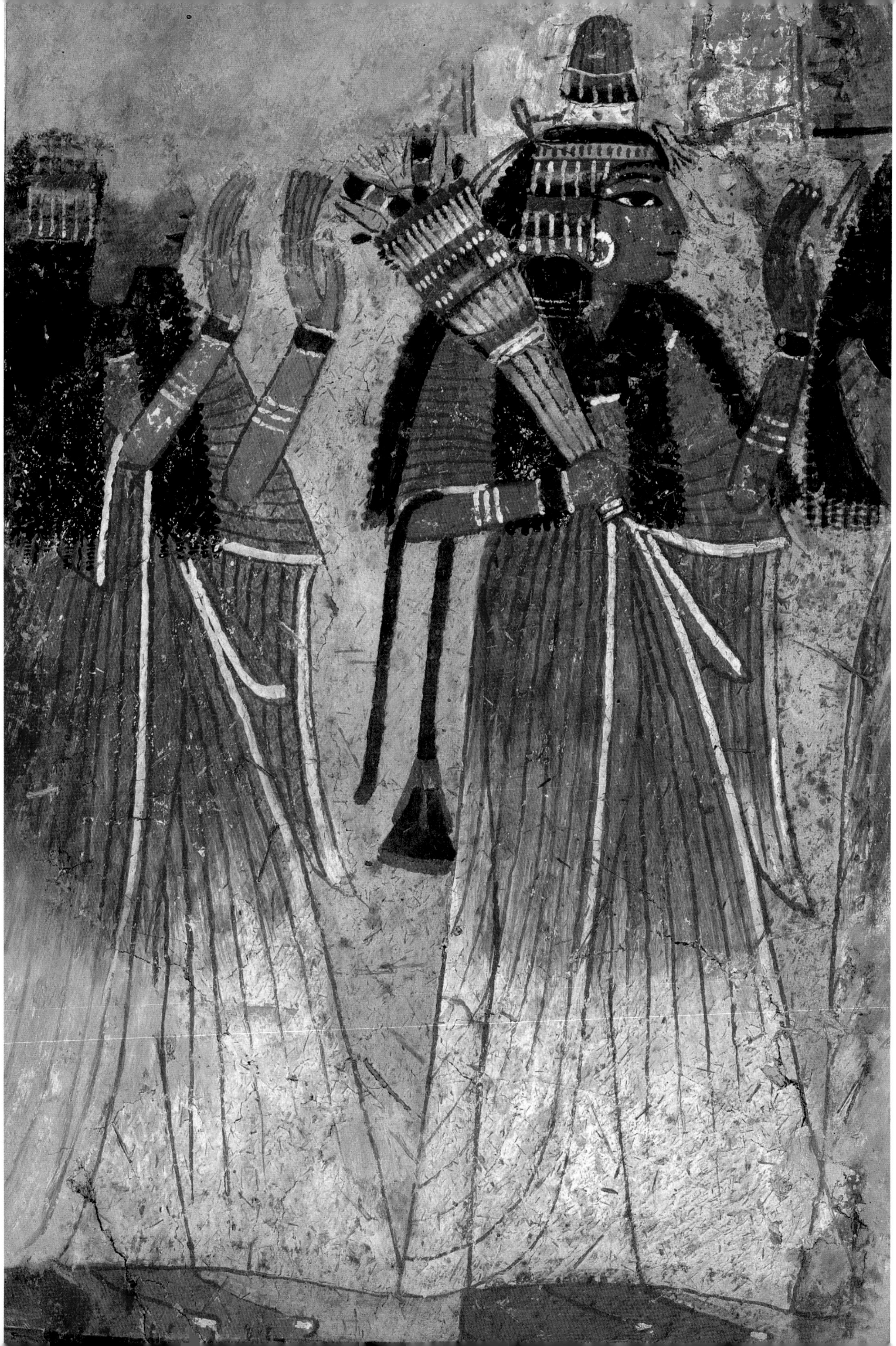

The goddess Hathor welcomes Sethos I, from the tomb of Sethos I, Valley of the Kings, Thebes, painted limestone
Die Göttin Hathor empfängt den Pharao Sethos I., vom Grab des Sethos I., Tal der Könige, Theben, Bemalter Kalkstein
De godin Hathor ontvangt farao Sethi I, van de tombe van Sethi I, Dal der Koningen, Thebe, beschilderde kalksteen
La diosa Hathor acoge al faraón Sethi I, de la tumba de Sethi I, Valle de los Reyes, Tebe, caliza pintada
ca. 1303-1290 BCE
226 x 105 cm / 89 x 41.3 in.

◀ *Procession of family of the deceased*, fragment of wall painting from the tomb of Niay, fresco
Trauerzug der Verwandten des Toten, Fragment einer Wandmalerei aus dem Niay, Grab, Fresko
Optocht van familieleden van de overledene, fragment van muurschildering afkomstig van de tombe van Niay, fresco
Corteo de los parientes del difunto, fragmento de pintura mural proveniente de la tumba de Niay, fresco
1295-1186 BCE
61 x 39 cm / 24.0 x 15.4 in.

Small stele of Ramesses II as a child, limestone
Kleine Stele von Ramses II. als Kind dargestellt, Kalkstein
Kleine stele van Ramses II als kind, kalksteen
Estela pequeña de Ramsés II representado como niño, caliza
1279-1213 BCE
18 x 13 x 3,80 cm / 7.1 x 5.1 x 1.5 in.

King presenting the goddess Maât, gilded silver
König, der die Göttin Maat präsentiert,
vergoldetes Silber
Koning die de godin Maât presenteert, zilver met
plakaatgoud
Rey que presenta a la diosa Maât, plata placada
en oro
1300-1100 BCE
h. 19.5 cm / 7.68 in.

Funerary servant of Sethos I, siliceous faience
Grabdiener des Sethos I., Majolika mit hohem Siliziumgehalt
Grafdienaar van Sethi I, siliciumhoudende majolica
Sirviente fúnebre de Sethi I, mayólica silicea
1294-1279 BCE
28,10 x 9,20 cm / 11.1 x 3.6 in.

*Karomama, the Divine Adoratrice
of Amun*, bronze with gold and silver
inlays
*Karomama, die göttliche Anbeterin
des Amun*, Metallisches Bronze mit
Gold- und Silbertauschierung
*Karomama, de goddelijke aanbidster
van Amon*, Brons met damascering
in goud en zilver
*Karomama, la Divina Adoratriz de
Amón*, bronce con damasquinado de
oro y plata
ca. 850 BCE
h. 59,5 cm / 23.4 in.

Statue of Horus, bronze, lost-wax casting
Statue des Gottes Horus, im Wachsausschmelzverfahren gegossenes, Bronze
Beeld van de god Horus, brons gesmolten met verloren wasmethode
Estatua del dios Horus, bronce fundido en cera perdida
ca. 800-700 BCE
95,5 x 39 cm / 37.6 x 15.4 in.

Stele of Lady Taperet, painted wood
Stele der Dame Taperet, Bemaltes Holz
Stele van de edelvrouw Taperet, beschilderd hout
Estela de la dama Taperet, madera pintada
900-800 BCE
31 x 29 x 2,6 cm / 12.2 x 11.4 x 1 in.

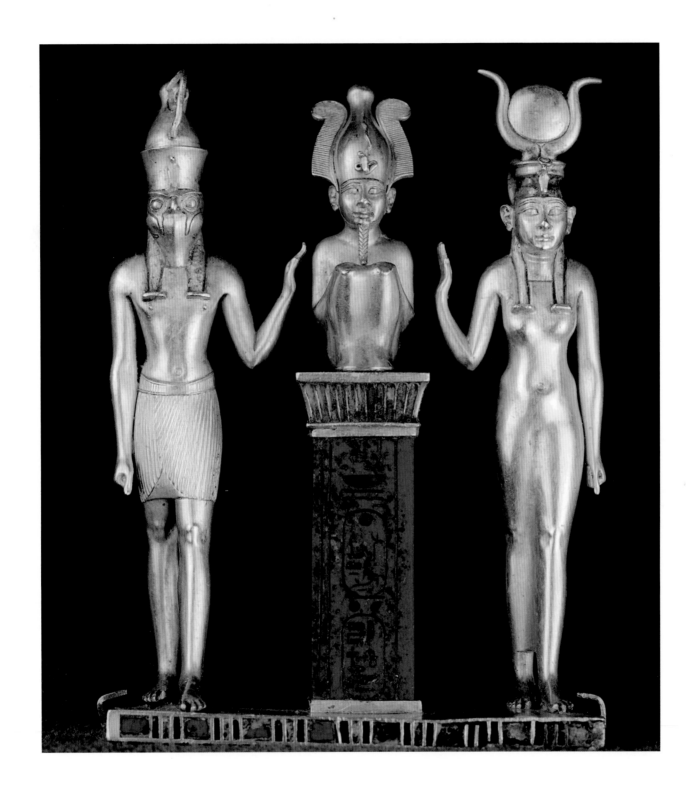

Pendant of Osorkon II depicting the divine triad of Isis, Osiris and Horus, gold, lapis lazuli and glass
Anhänger des Pharaos Osorkon II. mit Darstellung der göttlichen Triade von Isis, Osiris und Horus, Gold, Lapislazuli und Glas
Hanger van farao Osorkon II met het goddelijke drietal Isis, Osiris en Horus, goud, lapis lazuli en glas
Pendiente del faraón Osorkon II que representa la triada divina de Isis, Osiris y Horus, oro, lapislázuli y vidrio
874-850 BCE
9 x 6,6 cm / 3.5 x 2.6 in.

Statue of Nakhthorheb kneeling in prayer, quartzite
Statue des Nekhthorheb im Gebet, Quarzit
Beeld van de biddende Nakhthorheb, kwartsiet
Estatua de Nakhthorheb que reza, cuarcita
ca. 590 BCE
148 x 46 x 70 cm / 58.3 x 18.1 x 27.6 in.

Bas-relief with Imenmes and Depet, parents of General Imeneminet, limestone
Flachrelief mit Imenmes und Depet, Eltern des Generals Imeneminet, Kalkstein
Laagreliëf met Imenmes en Depet, ouders van generaal Imeneminet, kalksteen
Bajorrelieve con Imenmes y Depet, padres del general Imeneminet, caliza
700-600 BCE
56 x 66 cm / 22 x 26 in.

Statue of Isis nursing Horus, bronze
Statue von Isis, die Horus stillt, Bronze
Beeld van Isis die Horus melk geeft, brons
Estatua de Isis que amamanta a Horus, bronce
664-332 BCE
h. 27,4 cm / 10.8 in.

Figurine of Thoth in the form of a baboon,
faience, silver and gold
*Statuette des Gottes Thot in Gestalt eines
Pavians*, Majolika, Silber und Gold
*Beeldje van de god Thot in de vorm van een
baviaan*, majolica, zilver en goud
Estatua del dios Thot en forma de babuino,
mayólica, plata y oro
332-330 BCE
15 x 5 x 5,60 cm / 5.9 x 2.0 x 2.2 in.

▶ *Weighing of Souls*, papyrus of *Book of
the Dead of Tchahapiimou*
Das Wiegen der Seele, Papyrus aus dem
Totenbuch des Tchahapiimou
Het wegen van de zielen, papyrus van het
Dodenboek van Tchahapiimou
El pesado de las almas, papiro del *Libro de
los Muertos de Tchahapiimou*
150-100 BCE
30 x 198 cm / 11.8 x 78 in.

Christ and Abbot Mena, coptic art, monastery of Bawit,
paint on sycamore wood
Christus und der Heilige Menas, koptische Kunst aus
dem Kloster von Baouit, Malerei auf Sykomorenholz
Christus en de heilige Mena, Koptische kunst, uit het klooster
van Baouit, verf op sycomoorpaneel
Cristo y san Mena, arte copto, del monasterio de Baouit,
pintura en tabla de sicomoro
500-600 CE
57 x 57 cm / 22.4 x 22.4 in.

Griechische, Etruskische und Römische Antike

Diese Abteilung gehört zu den ältesten des Louvre. Sie besteht aus den Sammlungen von Richelieu und Mazzarino, den später zurückgegebenen Beschlagnahmungen Napoleons und den Erwerbungen der Sammlungen Albani, Borghese und Campana. Die beiden letzteren umfassen fast 5.000 Stücke, darunter Marmorbilder, Majolika und antike Gemälde. Ende des 19. Jahrhunderts wurde der aus Silbergeschirr und Schmuck bestehende Schatz von Boscoreale erworben; er wurde aus einer durch den Vulkanausbruch von Pompeji verschütteten römischen Zisterne geborgen. Zu den berühmtesten Werken dieser Abteilung gehören die *Venus von Milo* und der *Sieg von Samothrake*, die zu Symbolen des gesamten Museums geworden sind.

Greek, Etruscan and Roman Antiquities

This department, one of the oldest in the Louvre, was formed by bringing together the Richelieu and Mazzarino collections, expanded with Napoleon's requisitions and, after these had been returned, with the acquisition of the Albani, Borghese and Campana collections. The two latter collections comprise almost 5,000 items including marbles, pottery and antique paintings. Towards the end of the 19th century, the collection was increased with the acquisition of the Boscoreale treasure, a collection of silverware and jewellery found in a Roman cistern buried by the eruption of Pompeii. Among the department's most famous works are the *Venus de Milo* and the *Winged Victory of Samothrace*, icons that have come to symbolise the entire museum.

Griekse, Romeinse en Etruskische antiquiteiten

Dit departement is een van de oudste van het Louvre:
het werd opgericht met de collecties van Richelieu
en Mazzarino, met de rekwisities van Napoleon, die
vervolgens teruggegeven werden, en met de verwerving
van de collecties Albani, Borghese en Campana. Deze
laatste twee bevatten bijna vijfduizend stuks, waaronder
werken van marmer, majolica en antieke schilderingen.
Aan het einde van de negentiende eeuw is de schat van
Boscoreale aangekocht, een geheel van werkstukken van
zilver en juwelen afkomstig uit een Romeinse cisterne, die
door de uitbarsting van Pompeji onder een grote laag aarde
terechtgekomen was. Een van de bekendste werken van het
departement is de *Venus van Milo* en de *Nike van Samotracië*,
die symbolen van het gehele museum geworden zijn.

Antigüedades griegas, romanas, etruscas

El departamento es uno de los más antiguos de Louvre: se
constituyó con las colecciones de Richelieu y Mazzarino,
con las requisiciones de Napoleón, más tarde restituidas,
y con la adquisición de las colecciones Albani, Borghese
y Campana. Las últimas dos comprendían casi cinco mil
piezas entre las cuales mármoles, mayólicas y cuadros
antiguos. A fines del siglo XIX, fue adquirido el tesoro
de Boscoreale, un conjunto de piezas de platería y joyería
provenientes de una cisterna romana sumergida por la
erupción de Pompeya. Entre las obras más conocidas del
departamento, se recuerda la *Venus de Milo* y la *Victoria de
Samotracia*, que se transformaron en uno de los símbolos de
todo el museo.

Cretan vase, pottery
Vase, aus Kreta, Keramik
Vaas, uit Kreta, keramiek
Jarrón, proveniente de Creta, cerámica
675 BCE

Head of a female statue, so-called "folded-arms figurine", Cyclades, marble
Kopf einer weiblichen Götzenstatue mit verschränkten Armen, Zykladen, Marmor
Hoofd van vrouwenbeeld van het type "idool met over elkaar geslagen armen", Cycladen, marmer
Cabeza de estatua femenina del tipo de "ídolo con los brazos doblados", Cícladas, mármol
2700-2300 BCE
h. 27 cm / 10.6 in.

Female statue known as the "Lady of Auxerre", limestone
Weibliche Statuette, die sogenannte "Die Dame von Auxerre", Kalkstein
Vrouwelijk beeld genaamd "Dame van Auxerre", kalksteen
Estatuilla femenina llamada "Dama de Auxerre", caliza
650-630 BCE
h. 75 cm / 29.5 in.

◀ *Kora from the Cheramyes group known as "Hera of Samos" and detail*, Samos, marble
Kore der Cheramyes-Gruppe, die so genannte "Hera von Samos" und Detail, Samos, Marmor
Korè van de groep van Cheramyes, genaamd "Hera van Samos", en detail, Samos, marmer
Koré del grupo de Cheramyes, denominada "Hera de Samos", y detalle, Samos, mármol
570-560 BCE
h. 192 cm / 75.6 in.

Torso of a kouros, marble
Torso eines Kouros, Marmor
Torso van Kouros, marmer
Torso de Kouros, mármol
ca. 560 BCE
h. 100 cm / 39.4 in.

Rampin Horseman and detail, marble
"Reiter Rampin" und Detail, Marmor
Ruiter, genaamd "Ruiter Rampin" und detail, marmer
Caballero denominado "Caballero Rampín" y detalle, mármol
550 BCE
h. 27 cm / 10.6 in.

Attic vase with warship, pottery
Attische Vase mit Kriegsschiff, Keramik
Attische vaas met oorlogsschip, keramiek
Jarrón ático con barco de guerra, cerámica

Attic vase with ploughing scene, pottery
Attische Vase mit Bauern beim Pflügen, Keramik
Attische vaas met ploeg, keramiek
Jarrón ático con arada, cerámica

▶ **Euphronios**
Attic red-figure calyx-krater, terracotta
Attischer Kelchkrater mit roten Figuren, Terrakotta
Attische kelkvormige krater met rode figuren, terracotta
Crátera ática con forma de cáliz con figuras rojas, cerámica
ca. 510 BCE
h. 46 cm / 18.11 in.

Plaque of the Ergastines (Peplos-bearers) from the frieze of the Parthenon, marble
Fragment der Ergastinen, vom Parthenonfries, Marmor
Fragment van de Ergastinen, van de fries van het Parthenon, marmer
Fragmento de las Ergastinas, del friso del Partenón, mármol
445-438 BCE
96 x 207 cm / 37.8 x 81.5 in.

▶ *Centaur attacking a Lapith woman*, fragment of metope from Parthenon, marble
Angriff eines Kentaurs auf eine Lapithenfrau, Metopenfragment des Parthenons, Marmor
Centaurus die een Lapitische vrouw aanvalt, fragment van metope van het Parthenon, marmer
Centauro que ataca a una mujer Lápita, fragmento de metopa del Partenón, mármol
447-440 BCE
135 x 141 cm / 53.1 x 55.5 in.

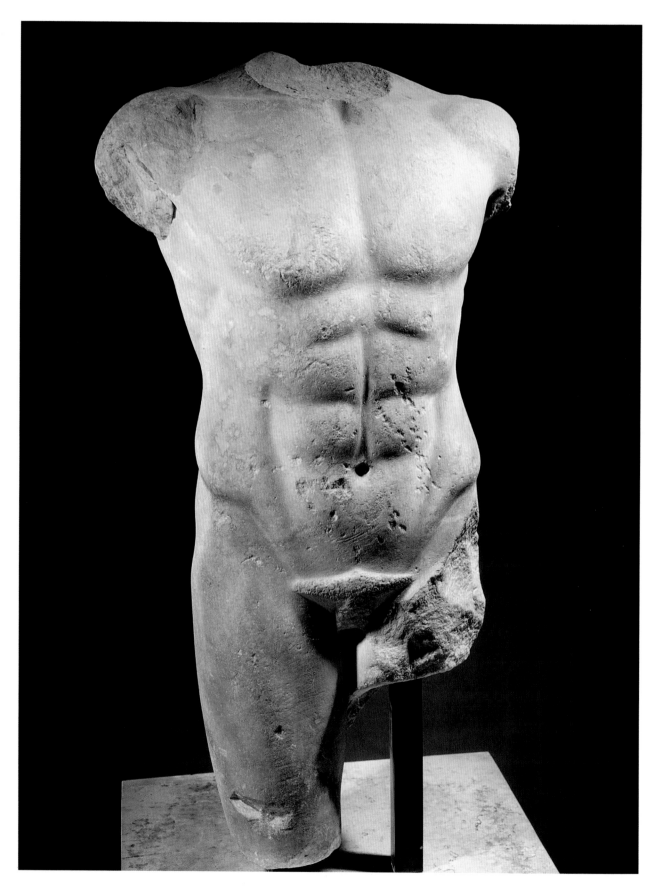

Male torso known as "Miletus Torso", marble
Männlicher Torso, so genannter "Torso von Milet", Marmor
Mannentorso, genaamd "Torso van Mileto", marmer
Torso viril, denominado "Torso de Mileto", mármol
480-470 BCE
h. 132 cm / 52 in.

Bust of Socrates, Roman copy after Lysippos, marble
Bildnis des Sokrates, römische Kopie nach dem
Original des Lysipp, Marmor
Portret van Socrates, romeinse kopie van Lisippo,
marmer
Retrato de Sócrates, copia romana de Lisippo, mármol
318-317 BCE
h. 33 cm / 13 in.

Woman with draped cloak, terracotta
Frau mit drapiertem Mantel, Terrakotta
Vrouw met gedrapeerde mantel, terracotta
Mujer con mantilla trapeada, terracotta
323-331 BCE

Female torso belonging to a Knidian Aphrodite, copy of
the Aphrodite of Knidos by Praxiteles, marble
Weiblicher Torso nach Art der "Venus Knidia", Kopie der
Venus Knidia von Praxiteles, Marmor
Vrouwentorso van het type '"Afrodite van Cnidus", kopie
van de Afrodite van Cnidus van Praxoteles, marmer
Torso feminino do tipo da "Afrodite de Cnido", cópia da
Afrodite de Cnido de Praxíteles, mármore
365-361 BCE

Diana of Versailles, Roman
work inspired by a Greek
work, marble
Diana von Versailles, römisches
Werk nach dem Vorbild
eines griechischen Originals,
Marmor
Diana van Versailles, romaans
werk geïnspireerd door een
Grieks origineel, marmer
Diana de Versailles, obra
romana inspirada en un
original griego, mármol
400-300 BCE
h. 200 cm / 78.7 in.

Winged Victory of Samothrace,
Parian marble
Der Sieg von Samothrake,
Marmor aus Paros
Overwinning van Samotracië,
marmer uit Paros
Victoria de Samotracia,
mármol de Paros
190 BCE
h. 328 cm / 129.1 in.

Apollo "Sauroktonos", Roman copy after Praxiteles, marble
Apollon Sauroktonos, römische Kopie nach dem Original des Praxiteles, Marmor
Apollo de hagedisdoder, romeinse kopie van Praxiteles, marmer
Apolo sauróctono, copia romana de Praxíteles, mármol
340 BCE
h. 149 cm / 58.7 in.

Venus de Milo and detail, marble
Venus von Milo und Detail, Marmor
Venus van Milo en detail, marmer
Venus de Milo y detalle, mármol
100 BCE
h. 202 cm. / 79.5 in.

Vase in the form of a leg decorated with a human face,
bucchero ware
Beinförmige Vase, mit menschlichem Gesicht dekoriert,
Bucchero-Keramik
Vaas in de vorm van gedecoreerd been met menselijk gezicht,
bucchero-keramiek
Jarrón con forma de pierna decorada con rostro humano,
cerámica de bucchero
550 BCE
h. 24 cm / 9.4 in.

◀ *Campana Plaque*, Cerveteri, painted terracotta
Zierplatte, so genanntes "Campana-Relief", aus Cerveteri,
Bemalte Terrakotta
Decoratief paneel, genaamd "Placca Campana", uit
Cerveteri, beschilderde terracotta
Panel decorativo denominado Placa Campana, de Cerveteri,
terracotta pintada
550-525 BCE
1,24 x 0,59 cm / 0.5 x 0.2 in.

Canopic vase in the form of a female figure used as a cinerary urn,
Chiusi, terracotta
Als Ossarium verwendete Kanope in Form einer weiblichen Gestalt,
Chiusi, Terrakotta
Asurn als vrouwenfiguur, gebruikt als ossuarium, Chiusi,
terracotta
Canopo con figura femenina utilizado como urna para las cenizas,
Chiusi, terracotta
550-500 BCE
h. 50 cm / 19.7 in.

Antefix in the form of a female head, Cerveteri,
painted terracotta
Stirnziegel in Form eines Frauenkopfes, aus Cerveteri,
Bemalte Terrakotta
Antefix in de vorm van vrouwenhoofd, uit Cerveteri,
beschilderde terracotta
Antefijo con forma de cabeza femenina, de Cerveteri,
terracotta pintada
520-480 BCE
26,50 x 16 cm / 10.4 x 6.3 in.

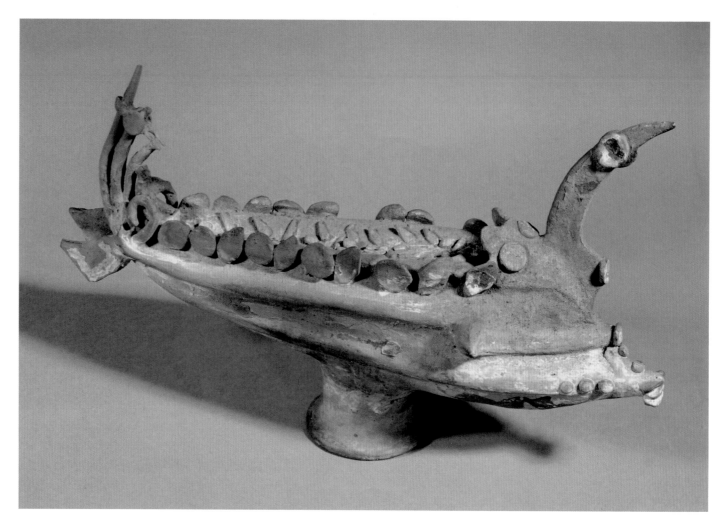

Model of a ship, Ardea, terracotta
Schiffsmodell, Ardea, Terrakotta
Scheepsmodel, Ardea, terracotta
Modelo de barco, Ardea, terracotta
300-200 BCE

◀ *Slender female figurine, possibly Aphrodite*, bronze
Fadenförmige Frauenstatuette, vielleicht Aphrodite, Bronze
Langwerpig vrouwenbeeldje, misschien Afrodite, brons
Estatua femenina filiforme, tal vez Afrodita, bronce
350 BCE
h. 50,5 cm / 19.9 in.

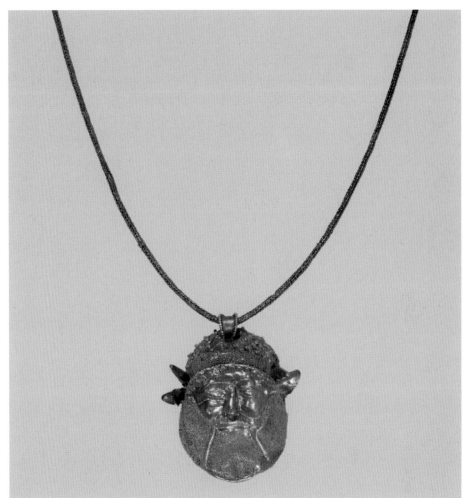

Pendant with the head of the river god Achelous, gold leaf
Halskette mit Acheloosanhänger, Blattgold
Halssnoer met hanger in de vorm van de Acheloos, goudfolie
Collar con pendiente en forma de Aqueloo, hoja de oro
500-480 BCE
h. 4 cm / 1.57 in.

◀ *Incense burner with dancing woman*, bronze
Kerzenleuchter mit Tänzerin, Bronze
Kaarsenstandaard met danseres, brons
Candelero con danzadoras, bronce
500 BCE
h. 43 cm / 16.93 in.

◀ *Cinerary urn*, terracotta
Aschenurne, Terrakotta
Asurn, terracotta
Urna cineraria, terracotta
300-200 BCE

Lid of a cinerary urn, Chiusi, terracotta
Deckel einer Graburne, Chiusi, Terrakotta
Deksel van asurn, Chiusi, terracotta
Tapa de una urna funeraria, Chiusi, terracotta
200-100 BCE

Statue of a slave, bronze
Sklavenstatue, Bronze
Beeld van slaaf, brons
Estatua de esclavo, bronce
100-200 CE
h. 14,8 cm / 5.83 in.

◀ *Winged genius*, from the Villa of P. Fannius Synistor, Boscoreale, fresco
Geflügelter Schutzgeist, aus der Villa des P. Fannius Synistor, Boscoreale, Fresko
Gevleugelde genius, uit de villa van Fannius Synistor, Boscoreale, fresco
Genio Alado, de Villa de Fannio Sinistore, Boscoreale, fresco
20 BCE
126 x 76 cm / 49.6 x 29.9 in.

So-called Domitius Ahenobarbus relief, marble
Relief der so genannten Ara des Domitius Ahenobarbus, Marmor
Reliëf genaamd "van Domitius Ahenobarbus", marmer
Relieve denominado de Domizio Aenobarbus, mármol
ca. 100 BCE
120 x 560 cm / 47.24 x 220.47 in.

Relief depicting Pretorian guard, marble
*Relief mit Darstellung der Prätorianischen
Wache*, Marmor
Reliëf met Praetoriaanse wacht, marmer
Relieve que representa la guardia pretoriana,
mármol
51-52 CE
162 x 126 cm / 63.8 x 49.6 in.

Kleomenes
Marcellus, marble
Marcellus, Marmor
Marcellus, marmer
Marcelo, mármol
ca. 20 BCE
h. 180 cm / 70.92 in.

Portrait of a man, El Fayum, encaustic on panel
Männerbildnis, El Fayoum, Enkaustik auf Holztafel
Mannenportret, El Fayoum, encaustiek op paneel
Retrato de hombre, El Fayoum, encáustico en tabla
200-300 CE
41 x 14 cm / 16.1 x 5.5 in.

Portrait of a woman, Antinoe, encaustic on panel
Frauenbildnis, Antinoë, Enkaustik auf Holztafel
Portret van vrouw, Antinoë, encaustiek op paneel
Retrato de mujer, Antinoe, encaústico en tabla
100-200 CE
37 x 17 x 1,2 cm / 14.6 x 6.7 x 0.5 in.

◀ *Bust of Caracalla*, marble
Büste des Caracalla, Marmor
Buste van Caracalla, marmer
Busto de Caracalla, mármol
ca. 212-215 CE
h. 51 cm / 20.08 in.

Judgement of Paris, Antioch, mosaic
Das Urteil des Paris, aus Antiochia, Marmor
Oordeel van Paris, uit Antiochië, mozaïek
Juicio de París, Antioquía, mosaico
post 115 CE
186 x 186 cm / 73.23 x 73.23 in.

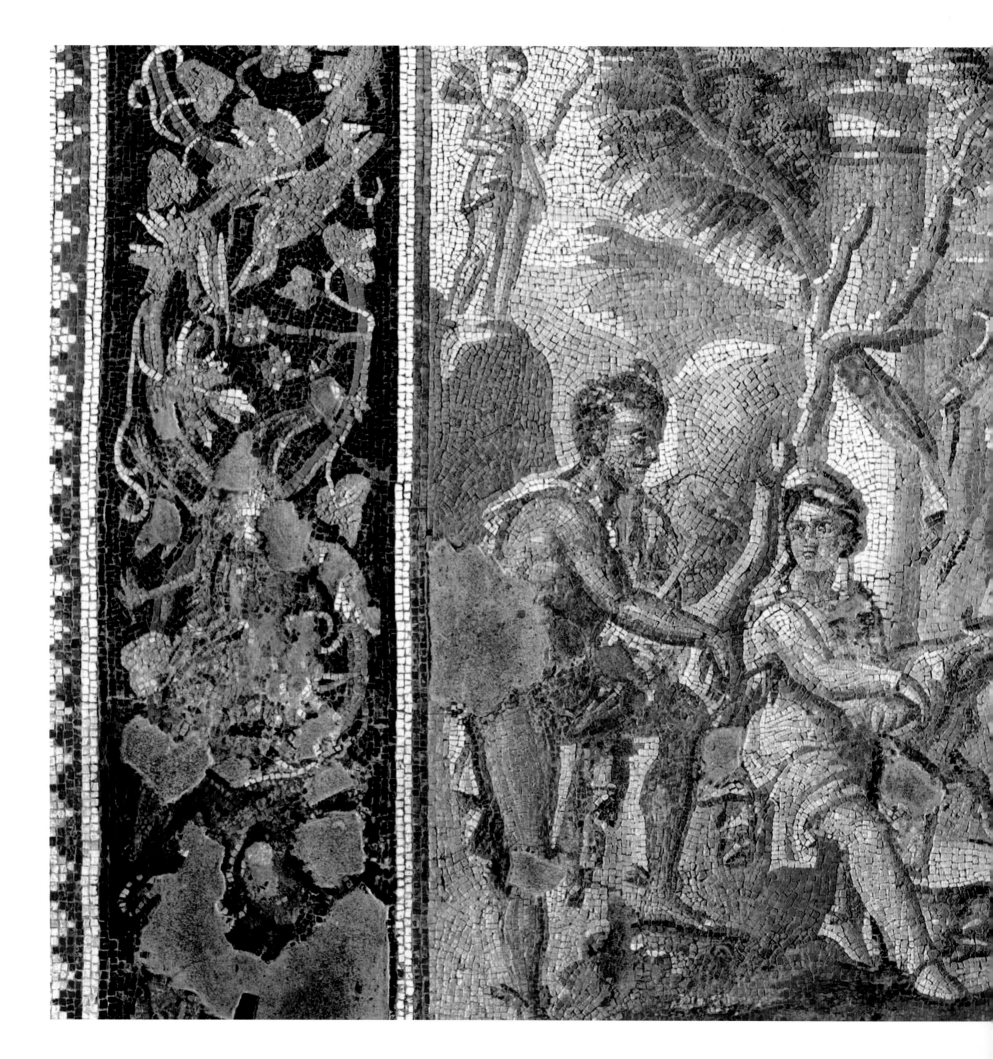

Decorative Arts and Prints and Drawings

The Decorative Arts department holds an extraordinary variety of works made using different materials and techniques, from ceramic artefacts to ivories, from bronzes to textiles, including furniture, clocks and jewellery dating from the medieval period to the 19th century. This section, which was planned right from the museum's conception, grew over time, particularly in the 19th century when it became independent. The Prints and Drawings collection comprises an older nucleus consisting of drawings from the Cabinet du Roi, the 1935 Rothschild donation and the print collection. The collection became a department in 1989.

Kunstgegenstände und graphische Kunst

Die Abteilung der Kunstgegenstände umfasst eine außergewöhnliche Vielfalt an mit unterschiedlichen Techniken und Materialien hergestellten Werken: Keramiken, Elfenbeinobjekte, Bronzearbeiten, Stoffe, Möbel, Uhren und Schmuckstücke aus einer Zeitspanne vom Mittelalter bis zum 19. Jahrhundert. Die bereits bei der Gründung des Museums bestehende Abteilung wurde vor allem im 19. Jahrhundert erweitert, als sie einen unabhängigen Status erhielt. Die Sammlung graphischer Kunst besteht aus einem älteren Kern, der im Jahr 1671 gegründeten Sammlung von Zeichnungen aus dem Königlichen Kabinett, der Schenkung von Rothschild von 1935 und der Drucksammlung. Die Sammlung wurde 1989 in eine Abteilung verwandelt.

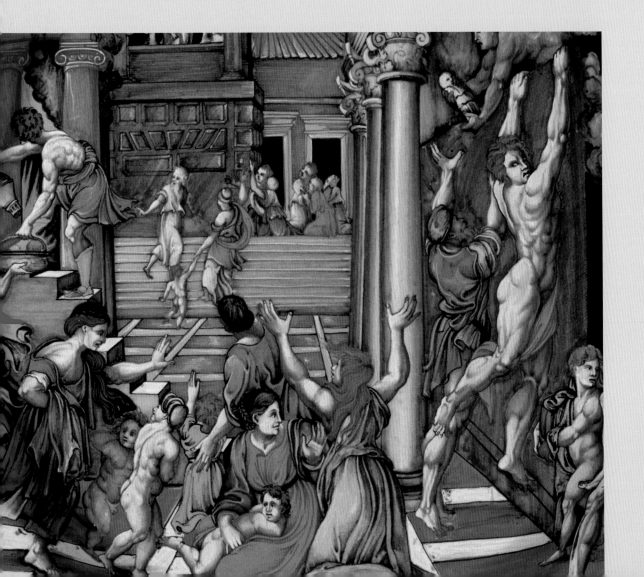

Kunstvoorwerpen en grafische kunsten

De afdeling Kunstvoorwerpen bevat een
buitengewone verscheidenheid aan werken die met
verschillende technieken en materialen tot stand
gebracht zijn, van keramiek tot ivoor, van brons
tot textiel, met inbegrip van meubels, horloges,
juwelen, die een periode van de middeleeuwen tot
de negentiende eeuw beslaan. Dit departement werd
al op het moment van oprichting van het museum
voorzien en werd vooral in de negentiende eeuw
uitgebreid, toen het een onafhankelijke afdeling werd.
De verzameling grafische kunsten bestaat uit een
antieke kern, of wel de verzameling tekeningen van
het Kabinet van de Koning, dat in 1671 gecreëerd
werd, uit de Rothschild-donatie van 1935 en uit een
verzameling afdrukken. De verzameling werd in 1989
een onafhankelijk departement.

Objetos de arte y artes gráficas

El departamento de los Objetos de arte conserva una
extraordinaria variedad de obras realizadas con técnicas
y materiales diferentes, de las cerámicas a los marfiles,
de los bronces a los tejidos, incluidos muebles, relojes,
joyas que comprenden un arco de tiempo que abarca
del medioevo al 800. Prevista ya en el momento de la
creación del museo, la sección fue enriquecida sobre
todo en el siglo XIX, cuando fue independiente. La
colección de artes gráficas está constituida por un
núcleo más antiguo, es decir la colección de dibujos
del Gabinete del Rey creada en 1671, por la donación
Rothschild de 1935 y por la colección de impresiones.
La colección se transformó en departamento en 1989.

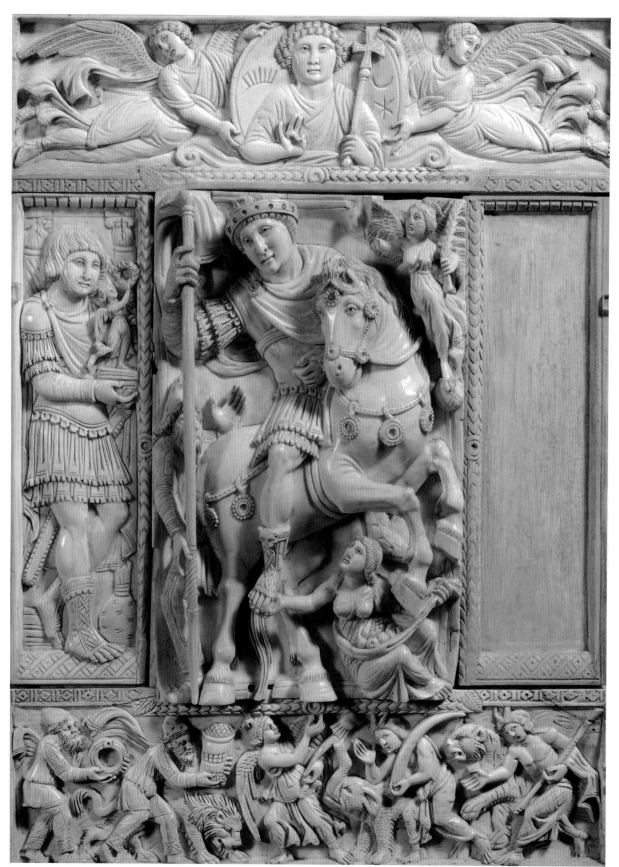

Barberini Ivory or Triumph of Justinian, ivory
Das Barberini-Elfenbein oder der Triumph des Kaisers Justinian,
Elfenbein
Barberini-ivoor of de Triomf van keizer Justinianus, ivoor
Marfil Barberini o el triunfo del emperador Justiniano, marfil
500-550
34,2 x 26,8 cm / 13.4 x 10.5 in.

"Suger's Eagle", porphry and gilt silver
"Suger-Adler", Porphyr und vergoldetes Silber
"Adelaar Suger", porfier en verguld zilver
"Águila de Suger", pórfido y plata dorada
ante 1147
43 x 27 cm / 16.9 x 10.6 in.

▶ *Equestrian statue of Charlemagne*, gilt bronze
Reiterstandbild Karls des Großen, Vergoldete Bronze
Ruiterstandbeeld van Karel de Grote, verguld brons
Estatua ecuestre de Carlomagno, bronce dorado
800-900
h. 23,5 cm / 9.25 in.

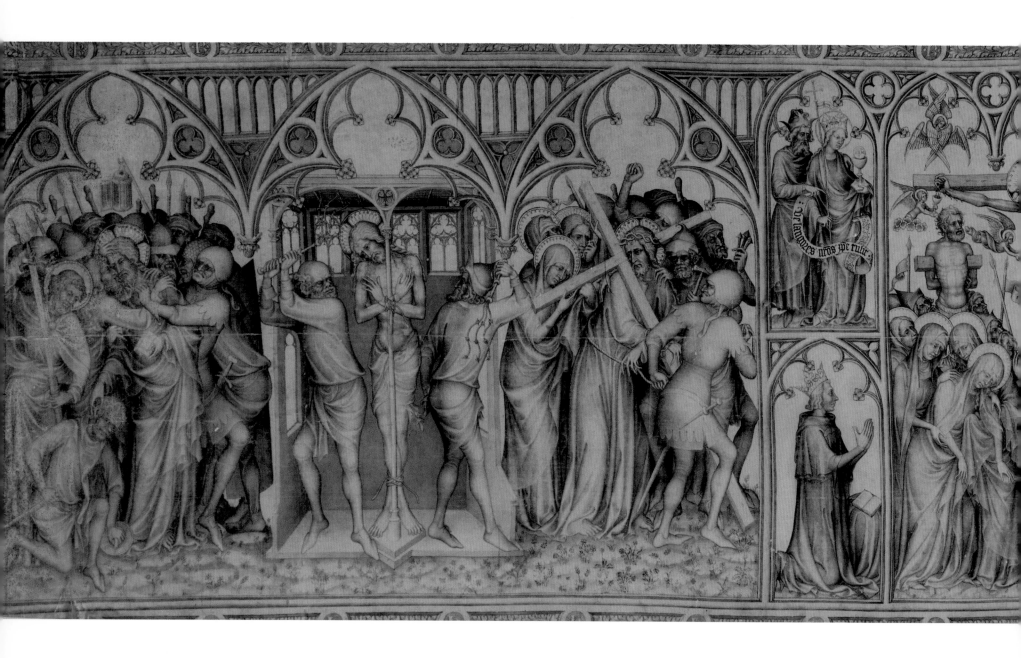

Parement of Narbonne, black ink on white silk
Altarbehang von Narbonne, Schwarze Tinte auf weißer Seide
Paliotto of altaarkleed van Narbonne, zwarte inkt op witte zijde
Frontal de Narbona, tinta negra en seda blanca
ca. 1375
78 x 208 cm / 30.7 x 81.5 in.

Jean Fouquet
(Tours *ca*. 1420 - 1481)

Self-portrait, blue enamelled copper
Selbstportrait, Blau emaillierte Kupfer
Zelfportret, blauw geglazuurd koper
Autorretrato, cobre esmaltado azul

ca. 1450
ø 6,8 cm / 2.68 in.

▶ *Plate depicting Burning of Troy from the Raphael fresco "Fire in the Borgo"*, from Faenza, pottery
Teller mit Motiv, Darstellung des Trojabrandes vom Bild Raffaels "Der Borgobrand", aus Faenza, Keramik
Bord met de brand van Troje, van het fresco van Rafaël "De brand van Borgo", uit Faenza, keramiek
Plato que representa el incendio de Troya del fresco de Rafael "El incendio de Borgo", de Faenza, cerámica
1525-1530

Bernard van Orley
(Brussels 1491? - 1542)

Month of January (Sign of Aquarius), tapestry in wool and silk with gold and silver threads   1531-1533
Der Monat Januar (Sternzeichen Wassermann), Wandteppich, Wolle, Seide, Gold und Silber
De maand Januari (Teken van de Waterman), stoffering, wol, zijde, goud en zilver
El mes de Enero (Signo del Acuario), tapicería, lana, seda, oro y plata

Jacques De La Garde
(active from 1551 to 1572)

Spherical watch, engraved gilt
copper
Kugeluhr, Geprägtes und
vergoldetes Kupfer
Bolvormige klok, verguld en
gegraveerd koper
Reloj esférico, cobre dorado y
grabado

1551
ø 5,50 cm / 2.17 in.

▶ **Erasmus Hornick**
(Antwerpen ? - Praha 1583)

Pendant depicting Daniel in the lions' den, enameled gold,
precious stones, pearl
Daniel in der Löwengrube, Anhänger, Goldemail,
Edelsteine, Perle
Hanger met afbeelding van Daniël in de leeuwenkuil,
geglazuurd goud, edelstenen, parel
Pendiente que representa Daniel en la fosa de los leones, oro
esmaltado, piedras preciosas, perla

1550-1583

Anne of Austria's chest, gold, wood covered with blue silk
Truhe "Anna von Österreich", Gold, mit blauer Seide bezogenes Holz
Kist genaamd "van Anna van Oostenrijk", goud, met blauwe zijde bekleed hout
Baúl de Ana de Austria, oro, madera revestida de seda azul
1600-1650
25,20 x 47,50 x 36,20 cm / 9.92 x 18.7 x 14.25 in.

Manufacture Royale de Vincennes   *Plat Hebert' (platter)*, soft-paste porcelain   1755
Teller "Hebert", Feines Porzellan
Hebert'-bord, zacht porselein
Plato "Hebert", porcelana blanda

Quentin-Claude Pitoin
(Paris *ca.* 1725 - 1777)

Firedog, gilt bronze   *ca.* 1775-1780
Feuerbock, Vergoldete Bronze
Haardijzer, verguld brons
Morillo, bronce dorado

Robert Osmond
(1713 - 1789)

Pendulum clock and detail, gilt   *ca.* 1770-1775
bronze, steel and soft-paste Sèvres   53,50 x 24,30 x 21 cm /
porcelain   21.06 x 9.57 x 8.27 in.
Pendule und Detail, Vergoldete
Bronze, Stahl und feines Sèvres-
Porzellan
Pendule en detail, verguld brons,
staal en zacht porselein uit Sèvres
Péndulo y detalle, bronce dorado,
acero y porcelana blanda de Sèvres

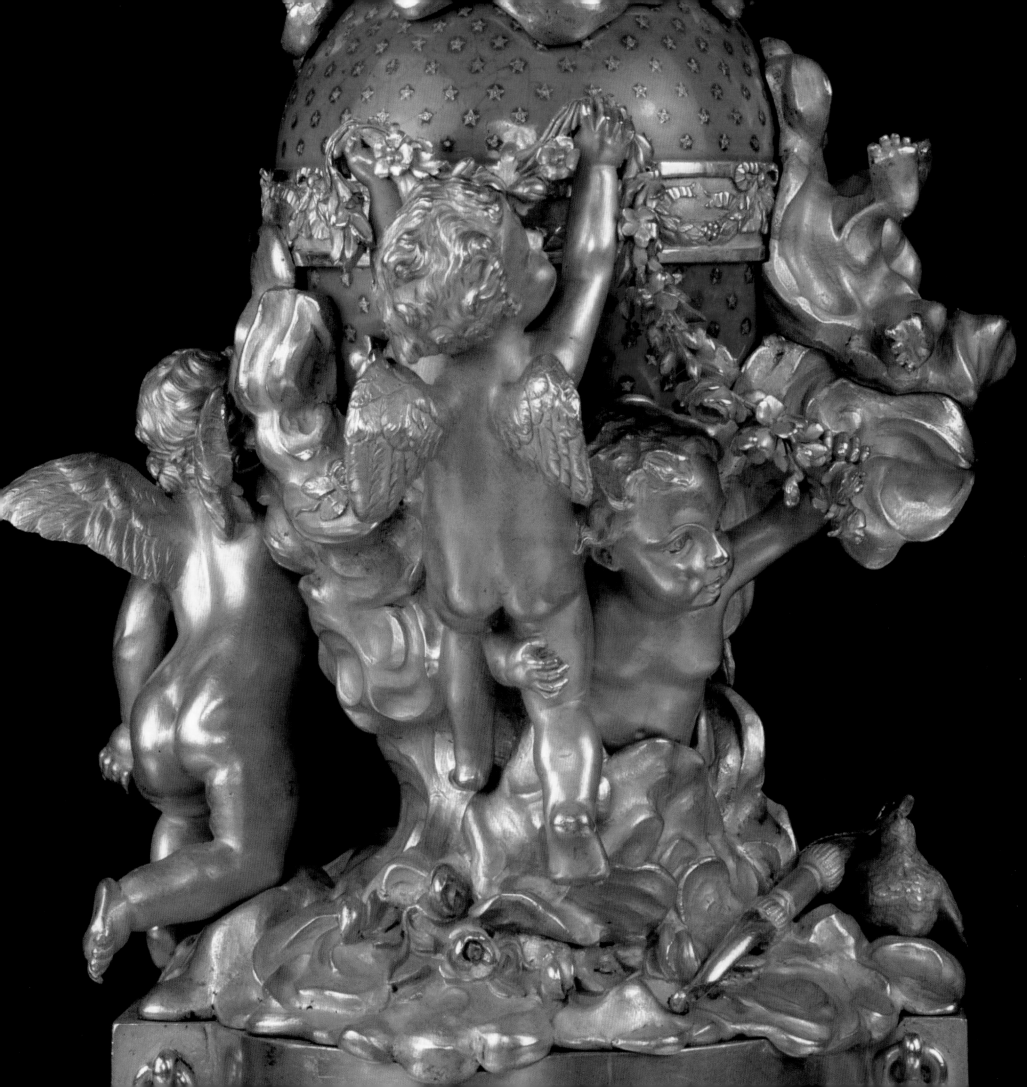

David Roentgen (attributed to)
(Herrnhaag 1743 - 1807)
Rolltop desk, wood and gilded bronze
Zylindersekretär, Holz und vergoldete Bronze
Cilindervormig secrétaire, hout en verguld brons
Escritorio con tapa, madera y bronce dorado
ca. 1780

Jean-Henri Riesener
(Gladbach, Köln 1734 - Paris 1806)
Rolltop desk, oak and deal frame veneered with polychrome wood marquetry, gilt
bronze
Zylindersekretär, Eichen- und Tannenholzfurnier mit mehrfarbigen
Holzintarsien, vergoldete Bronze
Cilindervormig bureau, Eiken- en sparrenhout gefineerd met inlegwerk van
polychroom hout, verguld brons
Escritorio con tapa, madera de roble y abeto chapado con marquetería de maderas
policromas, bronce dorado
1784
103 x 113 x 64 cm / 40.55 x 44.49 x 25.2 in.

▶ **François-Honoré-Georges Jacob-Desmalter**
(Paris 1770 - 1841)

The Empress's Jewelry Cabinet, various woods, mother of pearl, gilt bronze
Schmuckschränkchen der Kaiserin "Juwelen-Kabinett", verschiedene Holzarten, Perlmutt, vergoldete Bronze
Juwelenkistje van de keizerin genaamd "Grote schrijn", diverse houtsoorten, parelmoer, verguld brons
Joyero de la Emperatriz denominado Gran cofre, maderas varias, madreperla, bronce dorado

1809
276 x 200 x 60 cm /
108.66 x 78.74 x 23.62 in.

Rogier van der Weyden
(Tournai *ca.* 1399 - Brussels 1464)
Head of the Virgin, drawing
Kopf der Jungfrau, Zeichnung
Hoofd van de Maagd, tekening
Cabeza de la Virgen, dibujo

Martin Schongauer
(Colmar *ca*. 1448 - Breisach am Rhein, 1491)
Nativity, engraving
Geburt Christi, Gravur
Geboorte, gravure
Navidad, grabado
1450-1500

Michelangelo Buonarroti
(Caprese Michelangelo 1475 - Roma 1564)
Nude study, drawing
Aktstudie, Zeichnung
Naaktstudie, tekening
Estudio de desnudo, dibujo
1502-1506
37 x 19,5 cm / 14.57 x 7.68 in.

◀ **Leonardo da Vinci**
(Vinci 1452 - Amboise 1519)
Isabella d'Este, drawing
Portrait der Isabella d'Este, Zeichnung
Portret van Isabell d'Este, tekening
Retrato de Isabel de Este, dibujo
ca. 1499-1500
61 x 46,5 cm / 24 x 18.3 in.

◄ **Albrecht Altdorfer**
(? *ca.* 1480 - Regensburg 1538)

Holy Family at the Fountain, engraving   1512
Die Heilige Familie am Brunnen, Gravur
Heilige Familie bij de fontein, gravure
Sagrada Familia en la fuente, grabado

Raffaello
(Urbino 1483 - Roma 1520)

Florentine lady, drawing   1504
Portrait einer florentinischen Dame, Zeichnung
Portret van Florentijnse dame, tekening
Retrato de dama florentina, dibujo

Albrecht Dürer
(Nürnberg 1471 - 1528)
Knight, Death and the Devil, copperplate engraving
Ritter, Tod und Teufel, Kupferstich
De ridder, de dood en de duivel, tekening op koper
El caballero, la muerte y el diablo, grabado en cobre
1513
24,5 x 18,8 cm / 9.65 x 7.4 in.

Albrecht Dürer
(Nürnberg 1471 - 1528)
Erasmus of Rotterdam, drawing
Portrait des Erasmus von Rotterdam, Zeichnung
Portret van Erasmus van Rotterdam, tekening
Retrato de Erasmo de Rotterdam, dibujo
ca. 1520

Guido Reni
(Bologna 1575 - 1642)
Male nude, drawing
Männliche Aktfigur, Zeichnung
Naakt mannenfiguur, tekening
Figura masculina desnuda, dibujo
26 x 21 cm / 10.2 x 8.2 in.

Rembrandt Harmenszoon
van Rijn
(Leiden 1606 - Amsterdam 1669)
Doctor Faust in his Study,
engraving
Doktor Faust in seinem
Studierzimmer, Gravur
Dokter Faust in zijn studeerkamer,
gravure
El doctor Fausto en su estudio,
grabado
1652
21,2 x 16,2 cm / 8.35 x 6.38 in.

Antoon van Dyck
(Antwerpen 1599 - London 1641)

Arrest of Christ, drawing
Die Gefangennahme Christi, Zeichnung
Arrestatie van Christus, tekening
El prendimiento de Cristo, dibujo

24,5 x 21 cm / 9.65 x 8.27 in.

Charles Le Brun
(Paris 1619 - 1690)

Study of Camels' Heads, drawing
Kamelkopfstudien, Zeichnung
Studies van kamelenkoppen, teken
Estudio de cabezas de camello, dibujo

22 x 32 cm / 8.6 x 12.5 in.

▶ **Jean-Honoré Fragonard**
(Grasse 1732 - Paris 1806)

Self-portrait, drawing
Selbstportrait, Zeichnung
Zelfportret, tekening
Autorretrato, dibujo

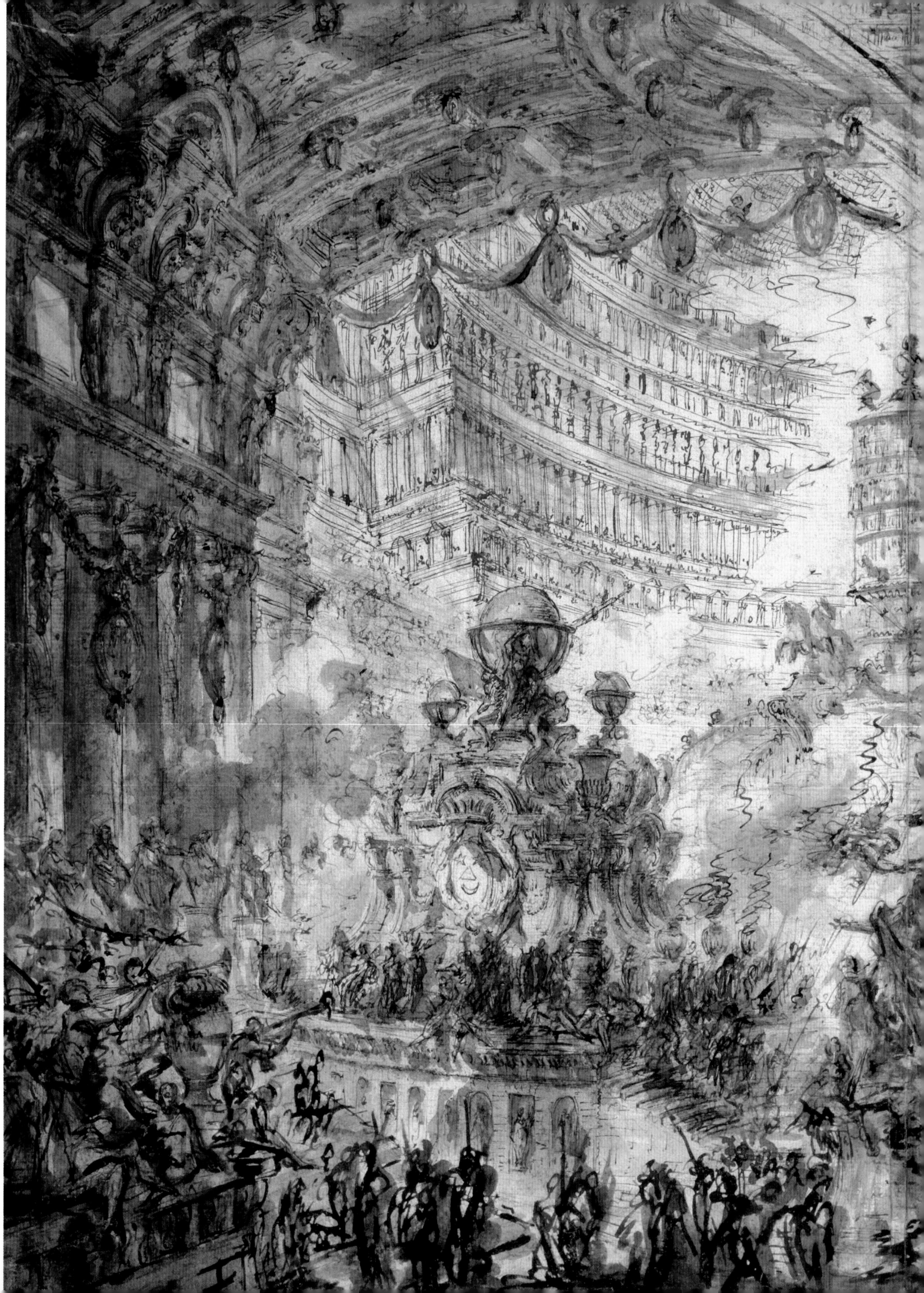

Giovan Battista Piranesi
(Mogliano Veneto 1720 - Roma 1778)
Palace interior: two flying Fames crowning
a figure, engraving
Innenansicht eines Gebäudes: zwei
geflügelte Berühmtheiten krönen eine
Person, Gravur
Interieur van een paleis: twee vliegende
beroemdheden kronen een personage, gravure
Interior de un palacio: dos famosos volantes
coronan un personaje, grabado

French Sculpture

This collection was created following the closure of two older institutions, the *Académie de peinture et de sculpture* at Versailles and the *Musée des Monuments Français*, which contained sculptural decorations from French convents, sanctuaries, monasteries and churches. Subsequently sculptures from the royal parks were added. The department, which is housed in the Richelieu wing, has works dating from the Middle Ages to the 19th century that illustrate the development of French sculpture: from Romanesque and Gothic architectural fragments to Renaissance works by Goujon and Pilon, from the baroque and roccoco masterpieces of Pigalle and Houdon to Romantic pieces by Barye.

Französische Bildhauerkunst

Die Sammlung entstand nach der Schließung zweier der ältesten Einrichtungen: die *Akademie der Malerei und Bildhauerei* von Versailles und das *Musée des Monuments Français*. Sie bewahrten bildhauerische Dekorationen aus Klöstern, Heiligtümern und französischen Kirchen. Später kamen die Skulpturen aus den königlichen Parks hinzu. Die im Richelieu-Flügel gelegene Abteilung stellt Werke mit Datierung vom Mittelalter bis zum 19. Jahrhundert aus. Sie ermöglichen eine Beobachtung der Entwicklung französischer Bildhauerei von den architektonischen Fragmenten der römischen und gotischen Zeit bis hin zu den Renaissance-Werken von Goujon und Pilon, von den Meisterwerken Pigalle und Houdons aus der Barock- und Rokokozeit bis zu Exemplaren von Baryes aus der Romantik.

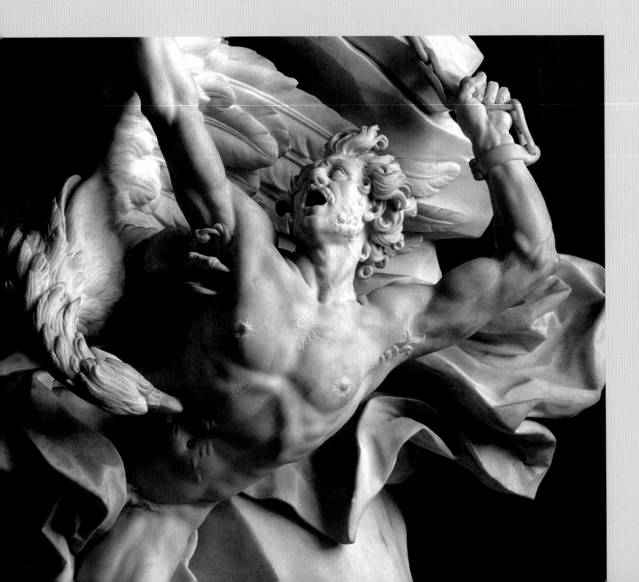

Franse beeldhouwkunst

De verzameling ontstond na de sluiting van twee
van de oudste instituties: de *Academie voor schilder-
en beeldhouwkunst* van Versailles en het *Musée des
Monuments Français*, die gebeeldhouwde decoraties
uit kloosters, bedevaartsplaatsen en Franse kerken
bevatte. Vervolgens zijn daar de beeldhouwwerken
uit de koninklijke tuinen aan toegevoegd. Het
departement, dat zich in de Richelieu-vleugel
bevindt, toont werken uit de periode middeleeuwen
tot de negentiende eeuw. Men kan dus de
ontwikkeling van de Franse beeldhouwkunst volgen:
van de architectonische fragmenten van de romaanse
en gotische periode tot de renaissance-werken van
Goujon en Pilon, van de meesterwerken van de
barok en de rococo van Pigalle en Houdon tot de
voorbeelden van het Romanticisme van Barye.

Escultura francesa

La colección nació después del cierre de dos
instituciones antiguas, la *Academia de pintura y
escultura* de Versailles y el *Musée des Monuments
Français*, que poseían las decoraciones provenientes de
conventos, santuarios, monasterios e iglesias francesas.
Más tarde se añadieron las esculturas provenientes
de los parques reales. El departamento, dispuesto
en el ala Richelieu, expone obras que datan de la
época medieval hasta el 800. Por lo tanto, se puede
seguir el desarrollo de la escultura francesa, desde
los fragmentos arquitectónicos del periodo románico
y gótico hasta las obras renacentistas de Goujon y
Pilon, pasando por las obras maestras del barroco y
del rococó de Pigalle y Houdon, y los ejemplos del
Romanticismo de Barye.

Capital with Daniel in the lions' den, marble
Kapitell mit Daniel in der Löwengrube, Marmor
Kapiteel met Daniël in de leeuwenkuil, marmer
Capitel con Daniel en la fosa de los leones, mármol

1100-1200
49 x 53 x 51 cm / 19.3 x 20.9 x 20.1 in.

Head of a "Foolish Virgin", limestone
Kopf einer törichten Jungfrau, Kalkstein
Hoofd van de waanzinnige maagd, kalksteen
Cabeza de virgen loca, piedra calcárea
ca. 1230
21 x 15 x 19 cm / 8.3 x 5.9 x 7.5 in.

King Childebert, founder of the Abbey of Saint-Germain-des-Prés, limestone
König Childebert, Gründer der Abtei von Saint-Germain-des-Prés, Kalkstein
Koning Childebert, stichter van de abdij van Saint-Germain-des-Prés, kalksteen
Rey Childeberto, fundador de la abadía de Saint-Germain-des-Prés, piedra calcárea
1239-1244
h. 191 cm / 75.3 in.

Charles V, stone
Karl V., Stein
Karel V, steen
Carlos V, piedra
1365-1380
h. 195 cm / 76.8 in.

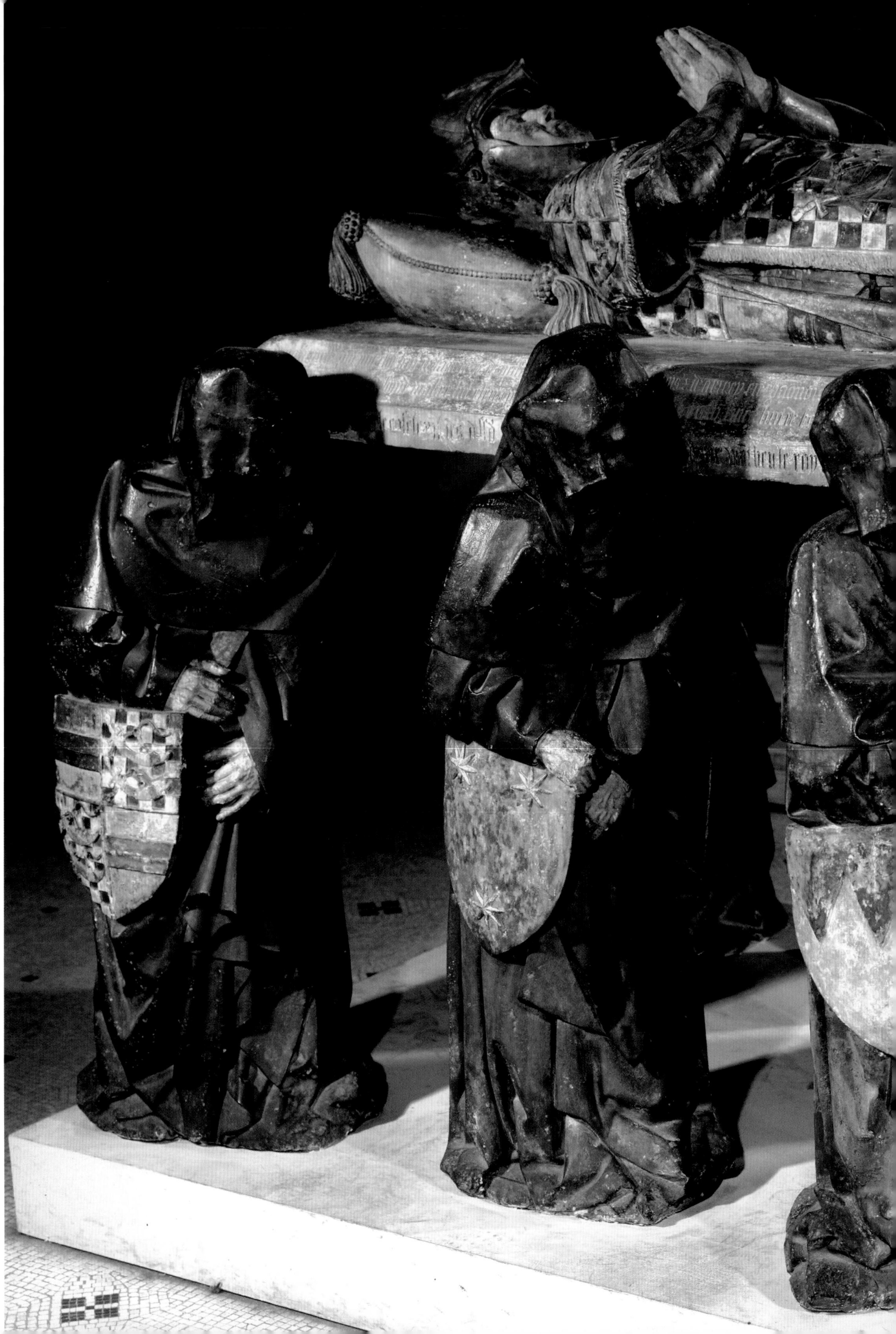

*Tomb of Philippe Pot, Grand Seneschal of
Burgundy*, polychrome limestone
*Grabmal von Philippe Pot, Groß-Seneschall von
Burgund*, Mehrfarbiger Kalkstein
*Graftombe van Philippe Pot, groot seneschalk van
Bourgogne*, polychrome kalksteen
Tumba de Philippe Pot, gran senescal de Borgoña,
piedra calcárea policroma
1477-1483
181 x 260 x 167 cm / 71.3 x 102.4 x 65.7 in.

Antoine Le Moiturier (copy from)
(Avignon *ca.* 1425 - Paris? *post* 1495)

Flying Angel, limestone
Geflügelter Engel, Kalkstein
Vliegende engel, kalksteen
Ángel volante, piedra calcárea

ca. 1490
42 x 57 x 18 cm / 16.5 x 22.4 x 7 in.

Jean Goujon
(Normandie *ca.* 1510 - *ca.* 1568)

Tribune with caryatids, marble
Empore mit Säulenheiligen, Marmor
Tribune met kariatiden, marmer
Tribuna con cariátides, mármol

1550

*Funerary monument of Philippe de Commynes
and his wife Helene*, polychrome stone
*Grabmal von Philippe de Commynes und seiner
Frau Helene*, mehrfarbiger Stein
*Grafmonument van Philippe de Commynes
en zijn vrouw Helene*, polychrome steen
*Monumento fúnebre de Philippe de Commynes
y de su esposa Helena*, piedra policroma
1500-1525
112 x 74 x 29 cm / 44.1 x 29.13 x 11.42 in.

▶ **Jean Goujon**
(Normandie *ca.* 1510 - *ca.* 1568)
Nymph and genius on a sea-horse, stone
Nymphe und Schutzgeist, Stein
Nimf en genius op een zeepaardje, steen
Ninfa y genio en un caballo marino, piedra
ca. 1547-1549
74 x 195 x 12 cm / 29.1 x 76.8 x 4.7 in.

Germain Pilon *Tomb of Valentine Balbiani*, marble *post* 1574
(Paris *post* 1540 - 1590) *Grabmal von Valentine Balbiani*, Marmor 83 x 191 x 49 cm /
  Graftombe van Valentine Balbiani, marmer 32.7x 75.2 x 19.3 in.
  Tumba de Valentine Balbiani, mármol

Germain Pilon
(Paris *post* 1540 - 1590)
Our Lady of Sorrows, polychrome
terracotta and plaster
Mater dolorosa (Schmerzensmutter),
mehrfarbige Terrakotta und Gips
Moeder der Zeven Smarten,
polychrome terracotta en gips
Virgen adolorada, terracota
policroma y yeso
ca. 1585
159 x 119 x 81 cm /
62.6 x 46.8 x 31.9 in.

Pierre Francqueville
(Cambrai 1548 - Paris 1615)
Francesco Bordoni
(Firenze 1580 - Paris 1654)
Chained Slave, bronze
Sklave in Ketten, Bronze
Geketende slaaf, brons
Esclavo encadenado, bronce
1614-1618
160 x 64 x 56 cm / 63 x 25.2 x 22 in.

Pierre Puget
(Marseille 1620 - 1694)
Milo of Croton, Carrara marble
Der Athlet Milon von Kroton,
Carrara-Marmor
De atleet Milone, marmer van
Carrara
El atleta Milón de Crotona, mármol
de Carrara
1671-1682
270 x 140 x 80 cm /
106.3 x 55.1 x 31.5 in.

Pierre Puget
(Marseille 1620 - 1694)
Alexander and Diogenes, marble
*Alexander der Große und
Diogenes*, Marmor
Alexander de Grote en Diogenes,
marmer
Alejandro Magno y Diógenes,
mármol
1693
332 x 296 x 44 cm /
130.3 x 116.6 x 17.3 in.

Antoine Coysevox
(Lyon 1640 - Paris 1720)
Bust of Charles le Brun, marble
Büste des Charles le Brun, Marmor
Buste van Charles le Brun, marmer
Busto de Charles le Brun, mármol
1679
62 x 58 x 34 cm / 24.4 x 22.8 x 13.3 in.

▶ **François Girardon**
(Troyes 1628 - Paris 1715)
Equestrian statue of Louis XIV, patinated bronze
Reiterstandbild von Ludwig XIV., patinierte Bronze
Ruiterstandbeeld van Lodewijk XIV, gevernist brons
Estatua ecuestre de Luis XIV, bronce patinado
1692
102 x 98 x 50 cm / 40.1 x 36.1 x 19.7 in.

Edme Bouchardon
(Chaumont-en-Bassigny 1698 - Paris 1762)
Cupid Cutting his Bow from the Club of Hercules,
marble
Amor schnitzt sich einen Bogen aus der Keule des Herkules,
Marmor
Cupido maakt een boog uit de knots van Hercules, marmer
Cupido prepara el arco con la clava de Hércules, mármol
1750
173 x 75 x 75 cm / 68 x 29 x 29 in.

▶ **Nicolas-Sébastien Adam**
(Nancy 1705 - Paris 1778)
Prometheus Bound, marble
Der gefesselte Prometheus, Marmor
Geketende Prometheus, marmer
Prometeo encadenado, mármol
1762
114 x 82 x 48 cm / 44.9 x 32.3 x 18.9 in.

Jean-Baptiste Pigalle
(Paris 1714 - 1785)
Voltaire Nude, marble
Voltaire, Aktfigur, Marmor
Naakte Voltaire, marmer
Voltaire desnudo, mármol
1776
150 x 89 x 77 cm / 59 x 35 x 30 in.

Jean-Baptiste Pigalle
(Paris 1714 - 1785)
Mercury Fastening his Sandal, marble
Merkur bindet seine Sandalen, Marmor
Mercurius knoopt de veters van zijn schoeisel vast, marmer
Mercurio que se ata el calzado, mármol
1744
58 x 35 x 33 cm / 28.5 x 13.7 x 13 in.

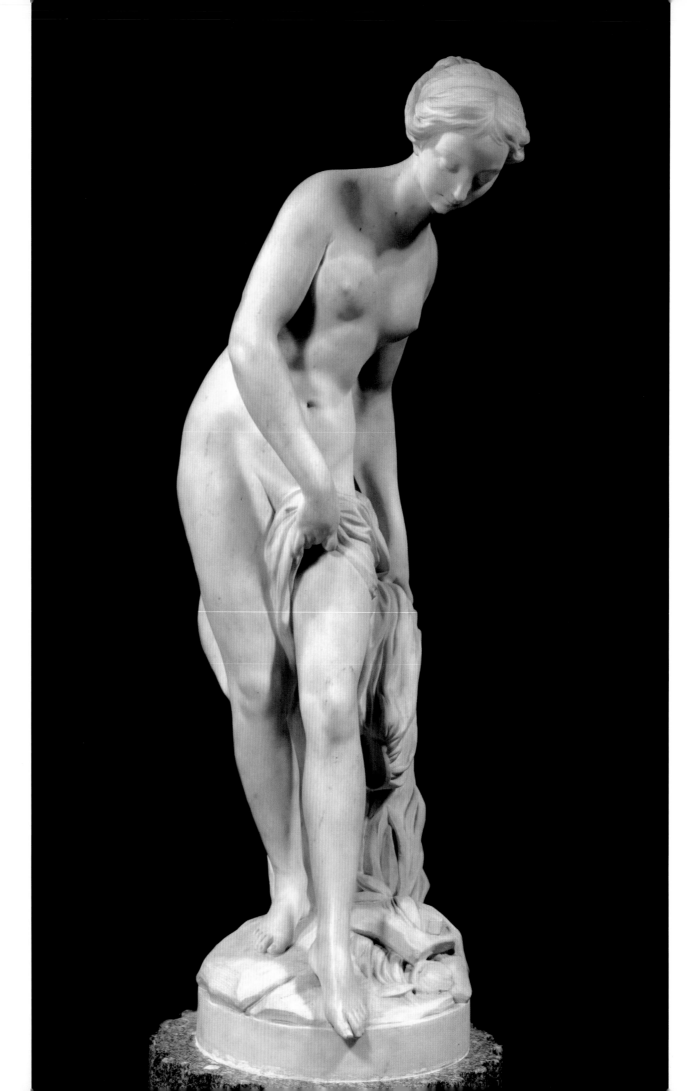

Étienne-Maurice Falconet
(Paris 1716 - 1791)
Bather, marble
Die Badende, Marmor
De baadster, marmer
La bañista, mármol
1757
80 x 25 x 29 cm / 31.5 x 9.8 x 11.4 in.

PSYCHE PERDIT L'AMOUR
EN VOULANT LE CONNOITRE

Augustin Pajou
(Paris 1730 - 1809)
Psyche Abandoned, marble
Die verlassene Psyche, Marmor
In de steek gelaten Psyche, marmer
Psiquis abandonada, mármol
1790
177 x 86 x 86 cm / 69.7 x 33.9 x 33.9 in.

Augustin Pajou
(Paris 1730 - 1809)
Madame Du Barry, marble
Jeanne Bécu, Gräfin du Barry, Marmor
Jeanne Bécu, gravin du Barry, marmer
Jeanne Bécu, condesa du Barry, mármol
1773
56 x 48 x 26 cm / 22 x 18.9 x 10.2 in.

Jean-Antoine Houdon
(Versailles 1741 - Paris 1828)
Bust of Diderot, marble
Büste des Diderot, Marmor
Buste van Diderot, marmer
Busto de Diderot, mármol
1775
43 x 27 x 21 cm / 16.9 x 10.3 x 8.2 in.

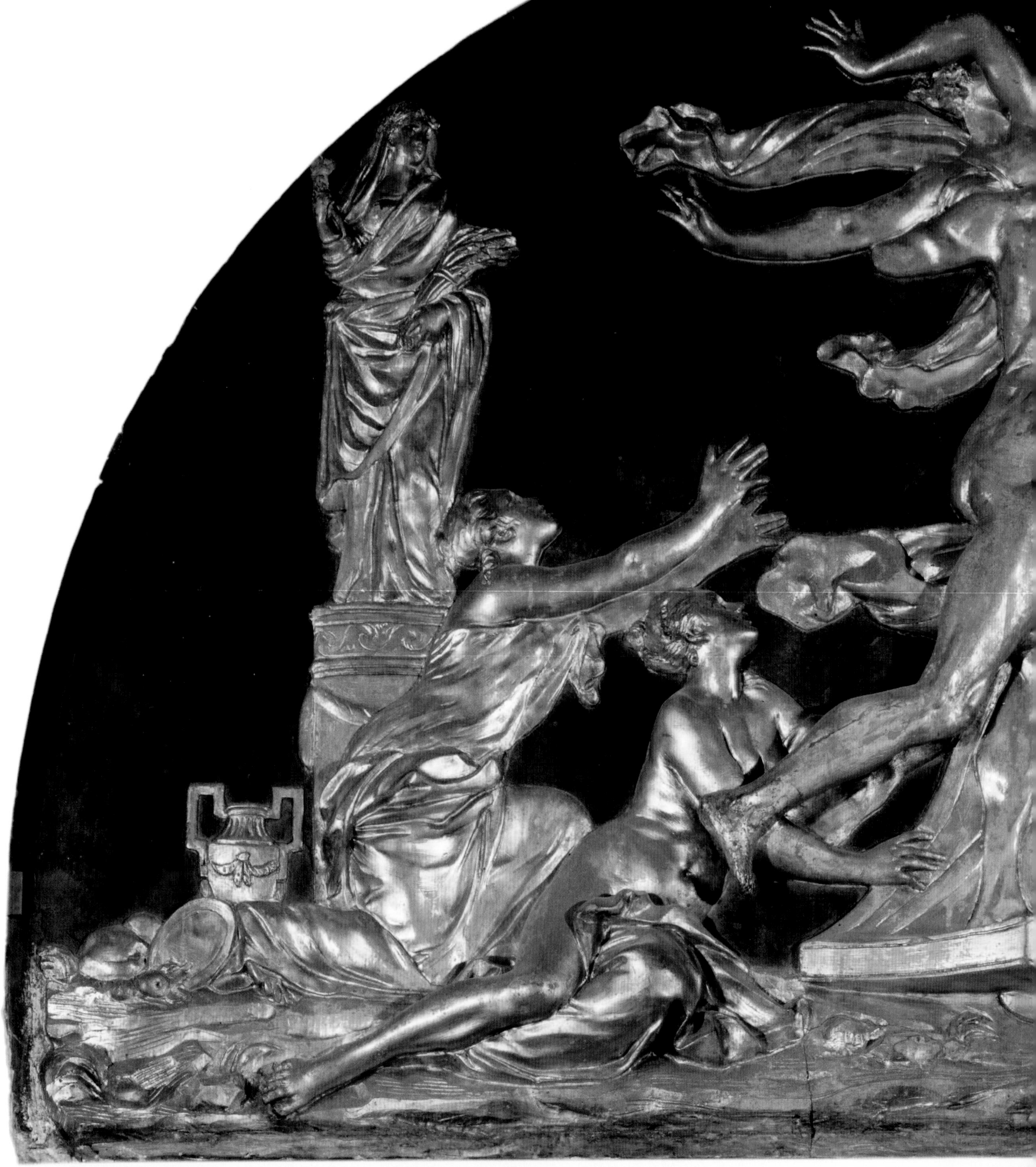

Augustin Pajou
(Paris 1730 - 1809)
Fire or Pluto Abducting Proserpine
Das Feuer oder Pluto raubt
Proserpina
Het vuur of Pluto die Proserpina
ontvoert
El fuego o Plutón que secuestra
a Proserpina
ca. 1770

Jean-Antoine Houdon
(Versailles 1741 - Paris 1828)

Bust of Louise Brongniart, terracotta
Büste der jungen Louise Brongniart, Terrakotta
Buste van de jonge Louise Brongniart, terracotta
Busto de la joven Louise Brongniart, terracota

1777
34 x 24 x 18 cm / 13.3 x 9.4 x 7.0 in.

Jean-Antoine Houdon
(Versailles 1741 -
Paris 1828)
Bust of Sophie Arnould,
marble
Büste der Sophie Arnould,
Marmor
Buste van Sophie Arnould,
marmer
Busto de Sophie Arnould,
mármol
1775
67 x 51 x 29 cm /
26.4 x 20.1 x 11.4 in.

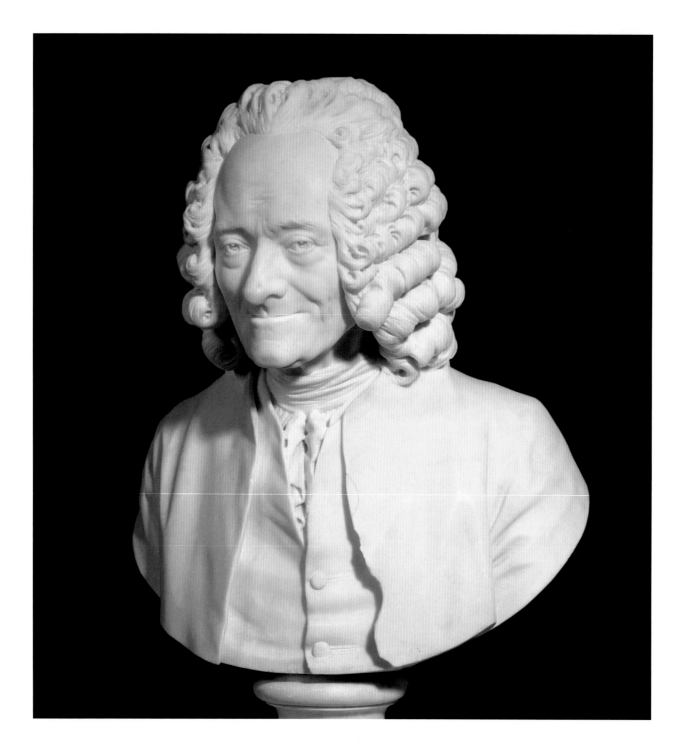

Jean-Antoine Houdon   *Bust of Voltaire*, marble   1778
(Versailles 1741 - Paris 1828)   *Büste Voltaires*, Marmor   48 x 44 x 35 cm / 18.9 x 17.3 x 13.7 in.
                                 Buste van Voltaire, marmer
                                 Busto de Voltaire, mármol

▶ **Jean-Jacques Caffieri**   *Canon Alexandre-Gui Pingré*, terracotta   1788
(Paris 1725 - 1792)   *Der Kanonikus Alexandre-Gui Pingré*, Terrakotta 51 x 51 x 34 cm / 20.1 x 20.1 x 13.4 in.
                                 De kanunnik Alexandre-Gui Pingré, terracotta
                                 El canónico Alexandre-Gui Pingré, terracota

Antoine-Louis Barye
(Paris 1795 - 1875)

Roger and Angelica on the Hippogriff, bronze
Angelika und Roger auf dem Hippogryph, Bronze
Angelica en Ruggero op de hippogrief, brons
Angélica y Ruggero en el hipogrifo, bronce

ca. 1844
51 x 69 x 29 cm / 20.1 x 27.2 x 11.4 in.

European Sculpture

This collection comprises Italian, German, English and North European works. The Italian section holds masterpieces by some of the greatest Italian sculptors ranging from the Renaissance to the Neoclassical period. On display are Michelangelo's *Dying Slave* and *Rebellious Slave,* Cellini's *Nymph,* Bernini's *Bust of Richelieu* and Canova's *Cupid and Psyche*. The works in the English, German and North European sections are mostly from the medieval and Renaissance periods and include the graceful *Magdalen* by Gregor Erhart.

Europäische Bildhauerkunst

Die Sammlung umfasst italienische, deutsche, englische und nordeuropäische Kunstwerke. die italienische Sektion stellt einige Meisterwerke der wichtigsten italienischen Bildhauer von der Renaissance bis zum Neoklassizismus aus, darunter zum Beispiel der *Sterbende Sklave* und der *Rebellische Sklave* von Michelangelo, die *Nymphe* von Cellini, die *Büste des Kardinals Richelieu* von Bernini und *Amor und Psyche* von Canova. Die Werke der englischen, deutschen und nordeuropäischen Sektionen stammen überwiegend aus dem Mittelalter und der Renaissance. Die Figur der *Magdalena* von Gregor Erhart durch ihre Anmut und ihre sanften Linien besticht.

Europese beeldhouwkunst

De collectie bevat Italiaanse, Duitse, Engelse en Noord-Europese kunstwerken. De Italiaanse afdeling bevat enkele meesterwerken van de belangrijkste Italiaanse beeldhouwers, van het Rinascimento tot het Neoclassicisme. Van bijzonder belang zijn de *Stervende slaaf* en de *Rebelse slaaf* van Michelangelo, de *Nimf* van Cellini, de *Buste van Richelieu* van Bernini en *Amor en Psyche* van Canova. De Engelse, Duitse en Noord-Europese werken dateren voornamelijk uit de middeleeuwen en de renaissance. De bezoeker getroffen wordt door de gratie en de delicate lijnen van de *Magdalena* van Gregor Erhart.

Escultura europea

La colección presenta piezas de arte italiana, alemana, inglesa y norteuropea. La sección italiana presenta algunas obras maestras de los máximos escultores italianos del Renacimiento al Neoclasicismo. Sobre todo se indican el *Esclavo moribundo* y el *Esclavo rebelde* de Miguel Ángel, la *Ninfa* de Cellini, el *Busto de Richelieu* de Bernini y *Amor y Psiquis* de Canova. Las obras de las secciones inglesas, alemanas y norteuropeas remontan sobre todo al periodo medieval y renacentista. Impresiona por la gracia y la delicadeza la figura de la *Magdalena* de Gregor Erhart.

Donatello
(Firenze 1386 - 1466)
Madonna with Child, gilt polychrome terracotta
Madonna mit Kind, Mehrfarbige und vergoldete Terrakotta
Madonna met Kind, polychrome en vergulde terracotta
Virgen con el Niño, terracota policroma y dorada
1440
102 x 74 cm / 40.1 x 29.5 in.

◀ **Agostino di Duccio**
(Firenze 1418 - Perugia *ca.* 1481)
Madonna with Child known as the Madonna of Auvilliers, marble
Madonna mit Kind, genannt "Madonna d'Auvilliers", Marmor
Madonna met Kind, genaamd " Madonna d'Auvilliers, marmer
Virgen con el Niño, denominada Virgen de Auvilliers, mármol
1464-1469
81 x 76 cm / 31.9 x 29.9 in.

Benedetto da Maiano
(Maiano 1442 - Firenze 1497)
Bust of Filippo Strozzi, marble
Büste des Filippo Strozzi, Marmor
Buste van Filippo Strozzi, marmer
Busto de Filippo Strozzi, mármol
ca. 1476
51 x 56 cm / 20.1 x 22.1 in.

◄ **Francesco Laurana**
(attributed to)
(Lovran *ca.* 1430 -
Avignon *ca.* 1502)
Princess bust, marble
Büste einer Prinzessin, Marmor
Buste van prinses, marmer
Busto de princesa, mármol
ca. 1468
44 x 44 x 24 cm /
17.3 x 17.3 x 9.4 in.

Michelangelo Buonarroti
(Caprese Michelangelo 1475 - Roma 1564)

Dying slave, marble
Der sterbende Sklave, Marmor
Stervende slaaf, marmer
Esclavo moribundo, mármol

1513-1515
h. 228 cm / 89.8 in.

Michelangelo Buonarroti
(Caprese Michelangelo 1475 - Roma 1564)

Rebellious slave, marble
Der rebellische Sklave, Marmor
Rebelse slaaf, marmer
Esclavo rebelde, mármol

1513-1516
h. 209 cm / 82.3 in.

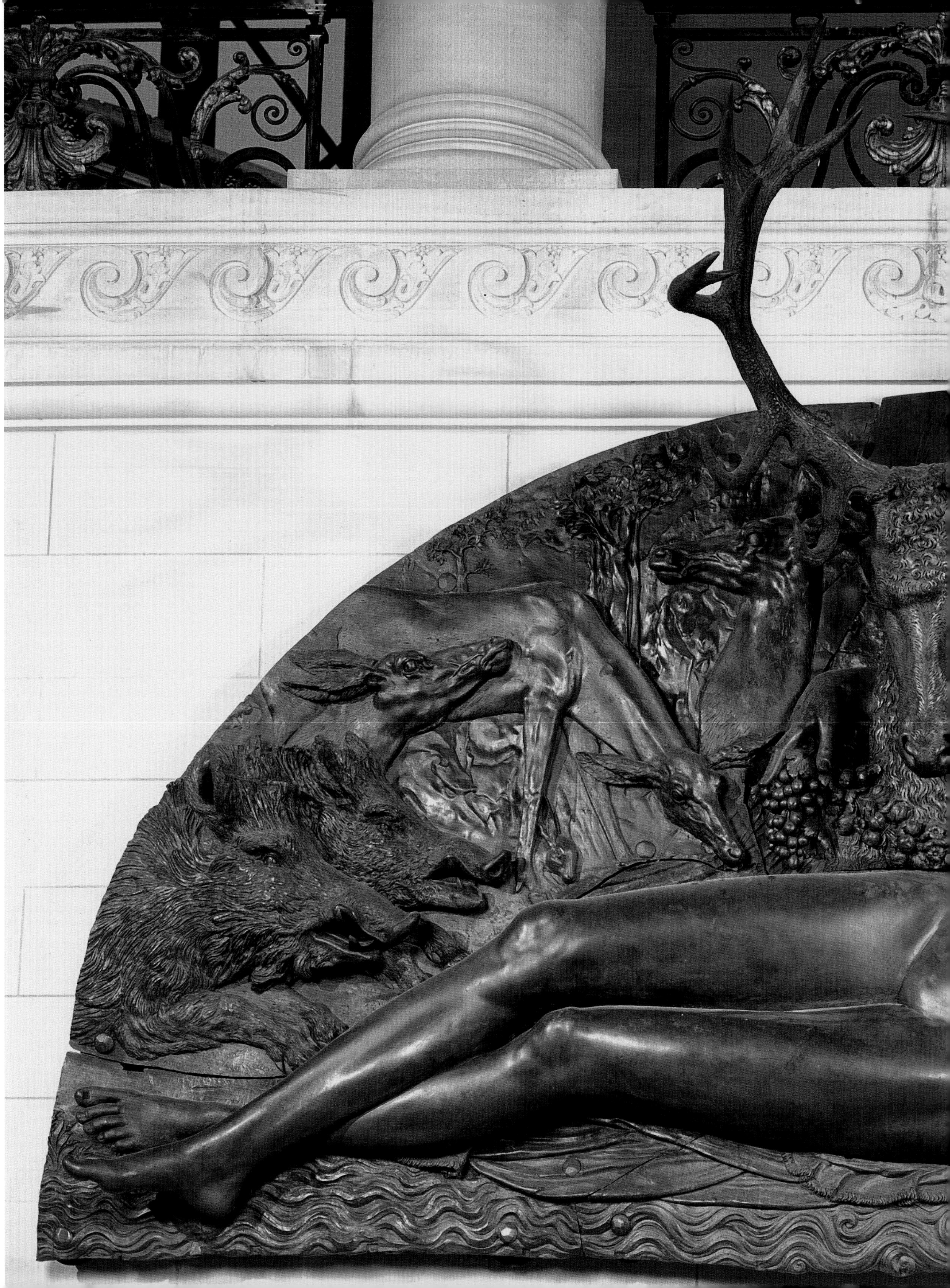

Benvenuto Cellini
(Firenze 1500 - 1571)
Nymph of Fontainebleau,
bronze
Nymphe von Fontainebleau,
Bronze
Nimf van Fontainebleau,
brons
Ninfa de Fontainebleau,
bronce
1542-1543
205 x 409 cm /
80.7 x 161.7 in.

Leone Leoni
(Menaggio *ca.* 1509 - Milano 1590)

Charles V, bronze   1555
Karl V., Bronze
Karel V, brons
Carlos V, bronce

▶ **Giambologna**
(Douai 1529 - Firenze 1608)

Abduction of Deianira, bronze   *ca.* 1575
Nessus und Deianira, Bronze   42,10 x 30,50 cm / 16.57 x 12.01 in.
Nessus en Deianira, brons
Neso y Deyanira, bronce

Antonio Canova
(Possagno 1757 - Venezia 1822)

Cupid and Psyche, marble
Amor und Psyche, Marmor
Amor en Psyche, marmer
Amor y Psiquis, mármol

1787
155 x 168 x 101 cm / 61 x 66.1 x 39.7 in.

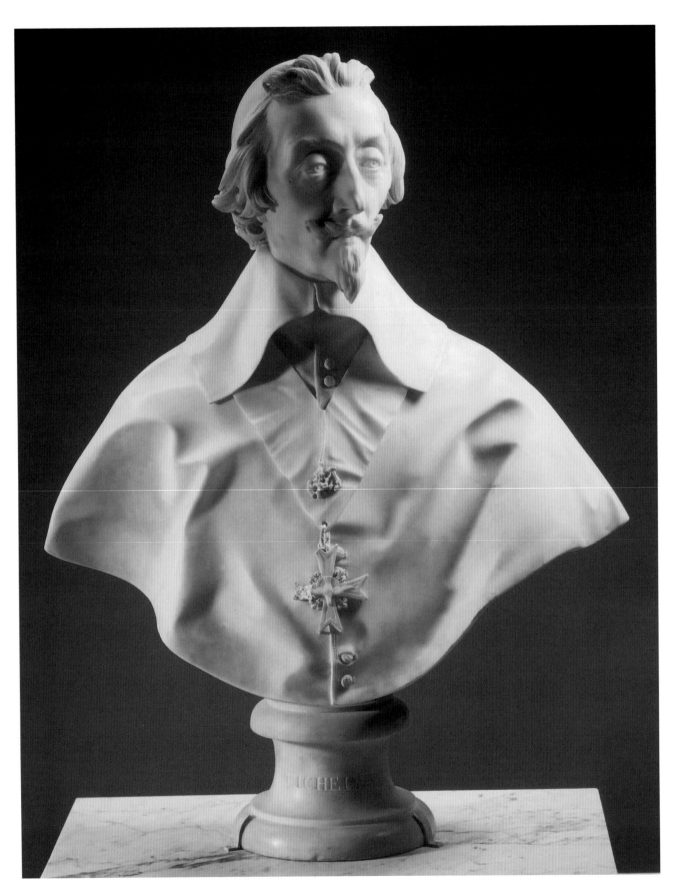

Gian Lorenzo Bernini
(Napoli 1598 - Roma 1680)
Bust of Cardinal Richelieu, marble
Büste des Kardinals Richelieu, Marmor
Buste van Kardinaal Richelieu, marmer
Busto del Cardenal Richelieu, mármol
1640
82 x 65 x 33 cm / 32.3 x 25.6 x 13 in.

Tilman Riemenschneider
(Heiligenstadt im Eichsfeld *ca*. 1460 - Würzburg 1531)
Virgin Annunciate, polychrome alabaster
Maria der Verkündigung, mehrfarbiges Alabaster
De Maagd van de Aankondiging, polychroom albast
La Virgen de la Anunciación, alabastro policromo
ca. 1495
h. 100 cm / 39.4 in.

Daniel Mauch *Two popes, a cardinal, a bishop and seven monks praying,* *ca.* 1505
(workshop) fragments of a sculpture of the *Virgin of Mercy,* 100 x 100 cm /
(1477 - 1540) and detail, polychrome limewood 39.4 x 39.4 in.
Zwei Päpste, ein Kardinal, ein Bischof und sieben Mönche im
Gebet, Fragmente einer Skulptur der *Mutter*
der Barmherzigkeit, und Detail, mehrfarbiges Lindenholz
Twee pauzen, een kardinaal, een bisschop en zeven monniken in
gebed, fragmenten van een beeldhouwwerk van de *Maagd*
van de Barmhartigheid, en detail, polychroom lindehout
Dos papas, un cardenal, un obispo y siete monjes
en oración, fragmentos de una escultura de la *Virgen*
de la Misericordia, y detalle, tilo policromo

Gregor Erhart *Mary Magdalen,* polychrome wood *ca.* 1515-1520
(Ulm *ca.* 1470 - *Maria Magdalena,* mehrfarbiges Holz h. 177 cm / 69.7 in.
Augsburg 1540) *Maria Magdalena,* polychroom hout
María Magdalena, madera policroma

French Painting

This section contains the world's greatest collection of French painting, with works ranging from the medieval period to 1848. In 1986 all the works in the collection from after this date were transferred to the Musée d'Orsay. This section provides visitors with the occasion to admire both the history of French painting and the history of France. The succession of portraits of sovereigns and chronicles of historical events illustrate the transformations undergone by French painting, from the first 15th-century panels to the works of Poussin and Le Brun, from 18th-century grace and elegance to the success of Ingre and David's neoclassical language and Romantic masterpieces by Géricault and Delacroix.

Französische Malerei

Diese Abteilung kann sich der umfangreichsten Sammlung französischer Malerei rühmen und zeugt von ihrer Entwicklung vom Mittelalter bis zum Jahr 1848. Die nach diesem Datum entstandenen Werke der Sammlung wurden 1986 in das Musée d'Orsay verlagert. Im Louvre kann man gleichzeitig die Geschichte der französischen Malerei und die Geschichte Frankreichs begutachten. Beim Betrachten von Herrscher-Portraits und Chroniken geschichtlicher Ereignisse offenbaren sich die Wandlungen in der Malerei von den ersten Tafeln des 15. Jahrhunderts bis hin zu den Werken von Poussin und Le Brun, die Anmut und Eleganz des 18. Jahrhunderts und der Erfolg des neoklassischen Ausdrucks von David und Ingres sowie die Meisterwerke der Romantik von Géricault und Delacroix.

Franse schilderkunst

Dit departement heeft de rijkste verzameling Franse
schilderkunst. De ontwikkeling, van de middeleeuwse
oorsprong tot 1848, getuigt daarvan. De werken na
deze datum die deel uitmaken van de collectie zijn in
1986 naar het Museum d'Orsay overgebracht. In het
Louvre kan men gelijktijdig zowel de geschiedenis
van de Franse schilderkunst als de geschiedenis
van Frankrijk zelf bewonderen. Terwijl we langs
de portretten van vorsten en de kronieken van
historische gebeurtenissen wandelen, zien we hoe de
schilderkunst verandert, van de eerste panelen van de
vijftiende eeuw tot de werken van Pousin en Le Brun.
Van de gratie en de elegantie van de achttiende eeuw
tot het succes van de neoklassieke taal van David en
Ingres en de meesterwerken van het Romanticisme
van Géricault en Delacroix.

Pintura francesa

La sección constituye la más rica colección de pintura
francesa y testimonia el desarrollo de los orígenes
medievales a 1848. Las obras siguientes a esta fecha
presentes en la colección se transfirieron al Museo
d'Orsay en 1986. En el Louvre se puede admirar al
mismo tiempo la historia de la pintura francesa y la
historia de Francia. Mientras pasamos por retratos de
soberanos y crónicas de eventos históricos, vemos las
transformaciones de la pintura de las primeras tablas
del siglo XV a las obras de Poussin y Le Brun; de
la gracia y la elegancia del siglo XVIII al éxito del
lenguaje neoclásico de David e Ingres hasta las obras
maestras del Romanticismo de Géricault y Delacroix.

John II the Good
Portrait von Johann II., dem Guten
Portret van Johannes II de Goede
Retrato de Juan II el Bueno
ante 1350
60 x 45 cm / 23.6 x 17.7 in.

◀ **Jean Malouel** (attributed to)
(Nijmegen *ca*. 1370 - Dijon 1415)
Large round Pietà,
egg tempera on panel
Große runde Pietà,
Eitempera auf Holztafel
Grote ronde Pietà,
tempera met ei op paneel
Gran Piedad redonda,
témpera al huevo sobre tabla
ca. 1400

▶ **Enguerrand Quarton**
(Laon *ca*. 1415 - Avignon 1466)
Pietà of Villeneuve-lès-Avignon,
oil on panel
Pietà von Villeneuve-lès-Avignon,
Öl auf Holztafel
Pietà van Villeneuve-lès-Avignon,
olie op paneel
Piedad de Villeneuve-lès-Avignon,
óleo sobre tabla
ca. 1455
163 x 218 cm / 64.2 x 85.9 in.

Jean Fouquet
(Tours *ca.* 1415-20 - *ca.* 1480)
Charles VII of France, oil on panel
Portrait von Karl VII. von Frankreich,
Öl auf Holztafel
Portret van Karel VII van Frankrijk,
olie op paneel
Retrato de Carlos VII de Francia,
óleo sobre tabla
ca. 1445-1450
85 x 70 cm / 33.5 x 27.6 in.

◀ Henri Bellechose
(documented in Dijon between 1415 - 1440)
Saint Denis altarpiece, panel transferred to
canvas
Altarbild von Saint Denis, Auf Leinwand
übertragenes Tafelgemälde
Altaarstuk van Saint Denis, paneel
overgebracht op doek
Retablo de Saint Denis, panel transportado
sobre tela
1415-1416
162 x 211 cm / 63.8 x 83.1 in.

Jean Clouet
(*? ca.* 1480 - *? ca.* 1541)
Francis I, king of France, oil on panel
Portrait von Franz I., König von Frankreich,
Öl auf Holztafel
Portret van Franciscus I, koning van Frankrijk,
olie op paneel
Retrato de Francisco I, rey de Francia,
óleo sobre tabla
ca. 1530
96 x 74 cm / 37.8 x 29.2 in.

·EVA PRIMA PANDORA·

Jean Cousin
(Sens *ca.* 1490 -
Paris *ca.* 1560)
Eva Prima Pandora,
oil on panel
Eva Prima Pandora,
Öl auf Holztafel
Eva als Pandora,
olie op paneel
Eva como Pandora,
óleo sobre tabla
ca. 1550
97 x 150 cm / 38.2 x 59.1 in.

Antoine Caron
(Beauvais 1521 - Paris 1599)
Augustus and the Sibyl
Augustus und die Sybille
Augustus en de Sibille
Augusto y la Sibila
ca. 1575-1580
125 x 170 cm / 49.3 x 67 in.

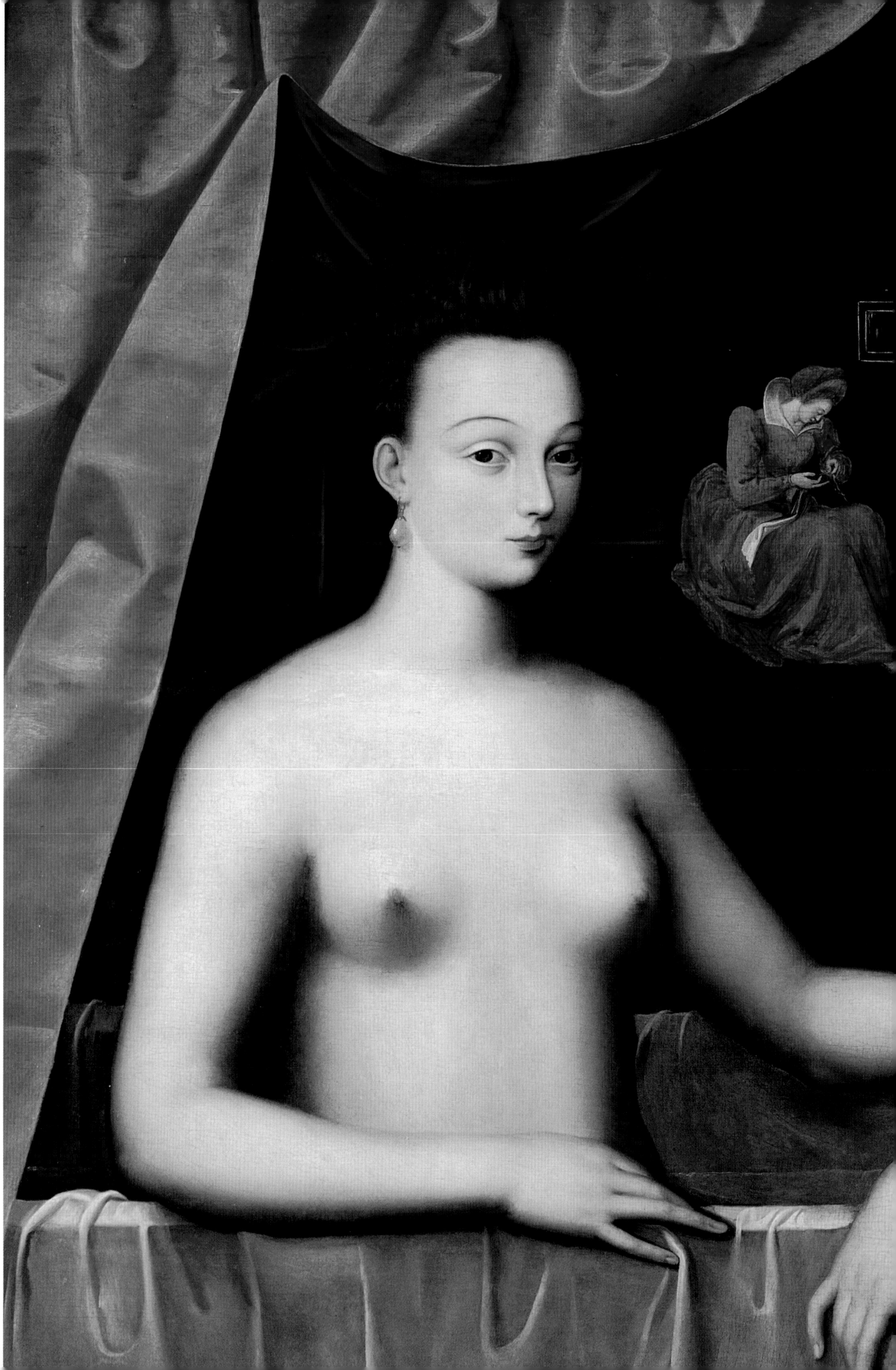

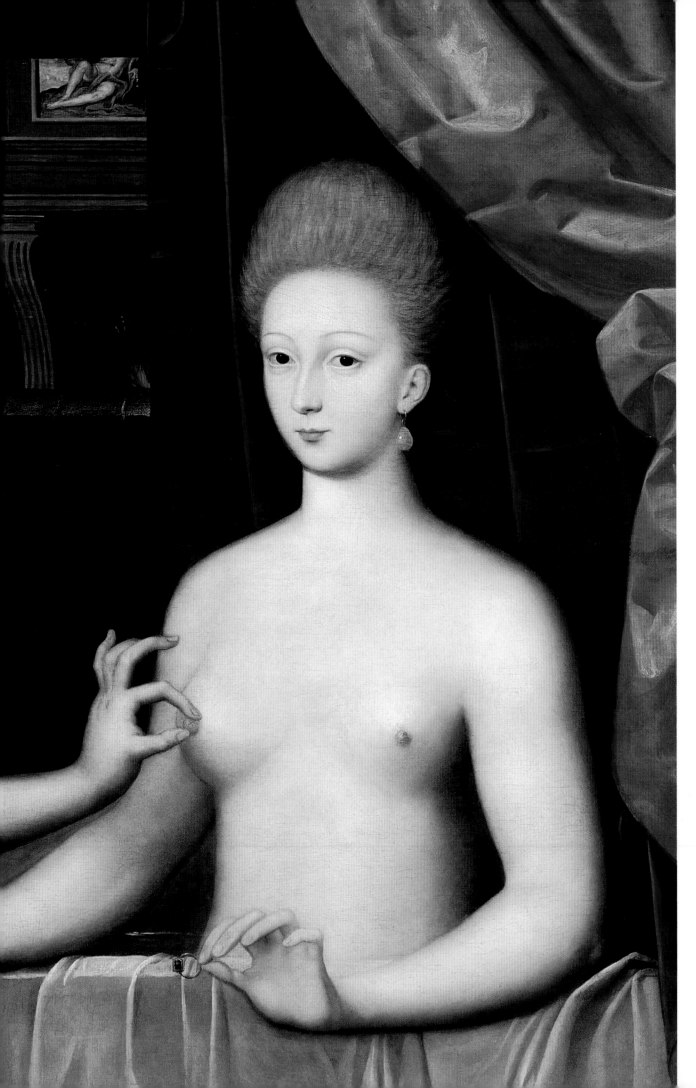

École de Fontainebleau
Gabrielle d'Estrées with her sister, oil on panel
Portrait der Gabrielle d'Estrées und einer ihrer Schwestern,
Öl auf Holztafel
Portret van Gabrielle d'Estrées en haar zuster, olie op paneel
Retrato de Gabriela de Estrées y una de sus hermanas,
óleo sobre tabla
ca. 1594
96 x 125 cm / 37.8 x 49.3 in.

Nicolas Régnier
(Maubeuge *ca*. 1588 - Venezia 1667)

Fortune-Teller, oil on canvas
Die Wahrsagerin, Öl auf Leinwand
De Waarzegster, olie op doek
La Buenaventura, óleo sobre tela

ca. 1626
127 x 150 cm / 50 x 59.1 in.

Simon Vouet
(Paris 1590 - 1649)
Allegory of Wealth, oil on canvas
Allegorie des Reichtums, Öl auf Leinwand
Allegorie van de rijkdom, olie op doek
Alegoría de la riqueza, óleo sobre tela
ca. 1640
170 x 124 cm / 67 x 48.9 in.

Georges de La Tour
(Vic-sur-Seille 1593 - Lunéville 1652)
Penitent Magdalen, oil on canvas
Büßende Magdalena, Öl auf Leinwand
Berouwvolle Magdalena, olie op doek
Magdalena penitente, óleo sobre tela
1640-1645
128 x 94 cm / 50.4 x 37 in.

Georges de La Tour
(Vic-sur-Seille 1593 - Lunéville 1652)

Adoration of the Shepherds, oil on canvas
Die Anbetung der Hirten, Öl auf Leinwand
Aanbidding van de herders, olie op doek
Adoración de los pastores, óleo sobre tela

1644
107 x 131 cm / 42.2 x 51.6 in.

Georges de La Tour
(Vic-sur-Seille 1593 - Lunéville 1652)

Cheat, oil on canvas
Der Falschspieler, Öl auf Leinwand
De valsspeler, olie op doek
El tahúr, óleo sobre tela

ca. 1620-1640
106 x 146 cm / 41.8 x 57.5 in.

Louis Le Nain   *Peasant Meal*, oil on canvas   1642
(Laon 1593 - Paris 1648)   *Bauernmahlzeit*, Öl auf Leinwand   97 x 122 cm / 38.2 x 48.1 in.
                           De maaltijd van de boeren, olie op doek
                           La comida de los campesinos, óleo sobre tela

Nicolas Poussin
(Les Andelys 1594 - Roma 1665)

Inspiration of the Poet, oil on canvas
Inspiration des Dichters, Öl auf Leinwand
De inspiratie van de Dichter, olie op doek
La inspiración del Poeta, óleo sobre tela

ca. 1629-1630
183 x 213 cm / 72.1 x 83.9 in.

Nicolas Poussin *Rape of the Sabines*, oil on canvas   1637-1638
(Les Andelys 1594 - Roma 1665) *Der Raub der Sabinerinnen*, Öl auf Leinwand   159 x 206 cm / 62.6 x 81.2 in.
                                De Roof van de Sabijnse Maagden, olie op doek
                                El Rapto de las Sabinas, óleo sobre tela

Nicolas Poussin
(Les Andelys 1594 - Roma 1665)

Shepherds of Arcadia also known as "Et in Arcadia ego", oil on canvas
Die Hirten von Arkadien oder "Et in Arcadia ego", Öl auf Leinwand
De herders van Arcadië, ook genoemd "Et in Arcadia ego", olie op doek
Los pastores de Arcadia, denominado también Et in Arcadia ego, óleo sobre tela

ca. 1638-1640
85 x 121 cm / 33.5 x 47.7 in.

Nicolas Poussin
(Les Andelys 1594 - Roma 1665)
Self-portrait, oil on canvas
Selbstportrait, Öl auf Leinwand
Zelfportret, olie op doek
Autorretrato, óleo sobre tela
1650
98 x 74 cm / 38.6 x 29.2 in.

Nicolas Poussin
(Les Andelys 1594 - Roma 1665)

Landscape with Orpheus and Eurydice, oil on canvas
Landschaft mit Orpheus und Eurydike, Öl auf Leinwand
Landschap met Orpheus en Eurydice, olie op doek
Paisaje con Orfeo y Eurídice, óleo sobre tela

ca. 1650-1653
124 x 200 cm / 48.9 x 78.8 in.

Charles Le Brun
(Paris 1619 - 1690)

Chancellor Seguier and his suite, oil on canvas
Portrait des Kanzlers Séguier, Öl auf Leinwand
Portret van Kanselier Seguier, olie op doek
Retrato del Canciller Seguier, óleo sobre tela

ca. 1655 - 1661
295 x 357 cm / 116.2 x 140.7 in.

Philippe de Champaigne
(Brussels 1602 - Paris 1674)
Richelieu, oil on canvas
Portrait des Kardinals Richelieu, Öl auf Leinwand
Portret van Richelieu, olie op doek
Retrato de Richelieu, óleo sobre tela
ca. 1639
222 x 155 cm / 87.5 x 61.1 in.

Claude Lorrain
(Chamagne *ca.* 1602 - Roma 1682)

Cleopatra Disembarking at Tarsus, oil on canvas
Landung der Kleopatra in Tarsos, Öl auf Leinwand
Ontscheping van Cleopatra in Tarso, olie op doek
Desembarco de Cleopatra en Tarso, óleo sobre tela

1642-1643
119 x 168 cm / 46.9 x 66.2 in.

Claude Lorrain
(Chamagne *ca.* 1602 - Roma 1682)

Ulysses Returns Chryseis to her Father, oil on canvas
Odysseus übergibt Chryseis ihrem Vater, Öl auf Leinwand
Ulysses en Chryseïde, olie op doek
Ulises y Criseide, óleo sobre tela

ca. 1644
119 x 150 cm / 46.9 x 59.1 in.

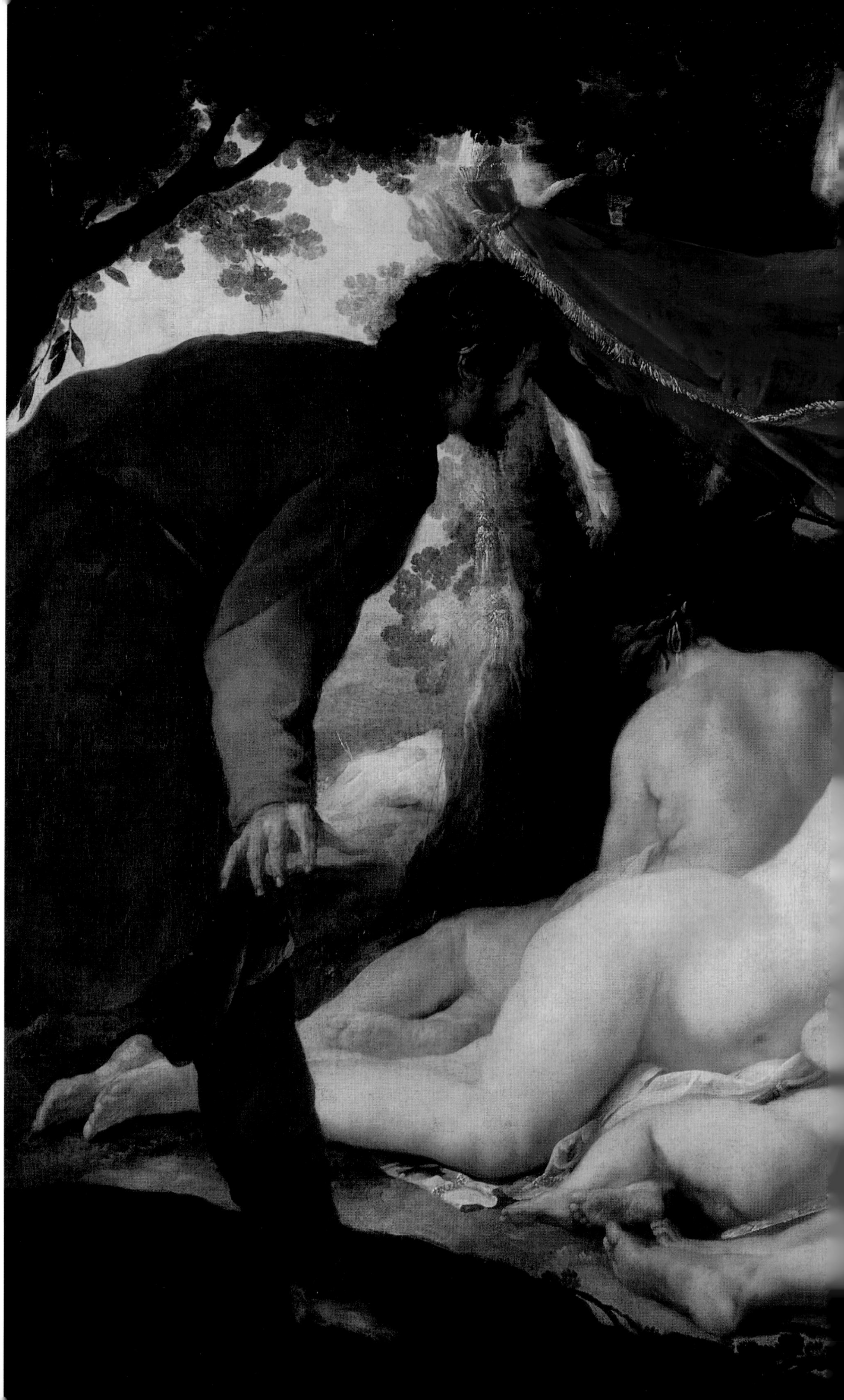

Jacques Blanchard
(Paris 1600 - 1638)
Venus and the Three Graces Surprised by a Mortal, oil on canvas
Venus und die drei Grazien, von einem Sterblichen überrascht,
Öl auf Leinwand
Venus en de drie Gratiën worden verrast door een sterfelijke,
olie op doek
Venus y las tres Gracias sorprendidas por un mortal, óleo sobre tela
ca. 1631-1633
170 x 218 cm / 67 x 85.9 in.

Sébastien Bourdon
(Montpellier 1616 - Paris 1671)

Meeting of Anthony and Cleopatra, oil on canvas
Die Begegnung von Antonius und Kleopatra, Öl auf Leinwand
Antonius en Cleopatra, olie op doek
Antonio y Cleopatra, óleo sobre tela

ca. 1645
145 x 197 cm / 57.1 x 77.6 in.

Nicolas de Largillierre
(Paris 1656 - 1746)

Family Portrait, oil on canvas
Familienportrait, Öl auf Leinwand
Familieportret, olie op doek
Retrato de familia, óleo sobre tela

ca. 1730
149 x 200 cm / 58.7 x 78.8 in.

Lubin Baugin
(Pithiviers *ca.* 1612 - Paris 1663)

Dessert with Wafer-Rolls, oil on canvas
Stillleben mit Waffelröllchen, Öl auf Leinwand
Stilleven met biscuits, olie op doek
El plato de barquillos, óleo sobre tela

ca. 1630-1635
41 x 52 cm / 16.2 x 20.5 in.

Hyacinthe Rigaud
(Perpignan 1659 - Paris 1743)
Louis XIV, oil on canvas
Portrait von Ludwig XIV., Öl auf Leinwand
Portret van Lodewijk XIV, olie op doek
Retrato de Luis XIV, óleo sobre tela
1701
277 x 194 cm / 109.1 x 76.4 in.

Maurice-Quentin de Latour
(Saint-Quentin 1704 - 1788)
Madame Pompadour,
pastel on blue paper
Portrait der Madame Pompadour,
Pastell auf blauem Papier
Portret van Madame Pompadour,
pastel op blauw papier
Retrato de Madame Pompadour,
pastel en papel azul
1748-1755
cm 17,5 x 12,8 / 6,89 x 5,04 in.

Antoine Coypel
(Paris 1661 - 1722)

Swooning of Esther, oil on canvas
Esther vor Ahasver, Öl auf Leinwand
Esther en Assuero, olie op doek
Ester ante Asuero, óleo sobre tela

ca. 1704
105 x 137 cm / 41.4 x 54 in.

Jean-Baptiste-Siméon Chardin
(Paris 1699 - 1779)
Return from the Market, oil on canvas
Rückkehr vom Markt, Öl auf Leinwand
De vivandière, olie op doek
El retorno del mercado, óleo sobre tela
1739
47 x 38 cm / 18.5 x 15 in.

Jean-Baptiste-Siméon Chardin
(Paris 1699 - 1779)

The Ray, oil on canvas
Der Rochen, Öl auf Leinwand
De rog, olie op doek
La raya, óleo sobre tela

ante 1728
114 x 146 cm / 44.9 x 57.5 in.

Jean-Antoine Watteau
(Valenciennes 1684 - Nogent-sur-Marne 1721)
Pierrot, also known as Gilles, oil on canvas
Pierrot genannt Gilles, Öl auf Leinwand
Pierrot, ook wel "Gilles" genaamd, olie op doek
Pierrot, denominado también Gilles, óleo sobre tela
ca. 1718-1719
185 x 150 cm / 72.9 x 59.1 in.

▶ **François Boucher**
(Paris 1703 - 1770)
Diana Leaving her Bath, oil on canvas
Diana im Bade, Öl auf Leinwand
Diana baadt, olie op doek
Diana saliendo del baño, óleo sobre tela
1742
57 x 73 cm / 22.5 x 28.8 in.

François Boucher   *Breakfast*, oil on canvas   1739
(Paris 1703 - 1770)   *Das Frühstück*, Öl auf Leinwand   81 x 65 cm / 31.9 x 25.6 in.
              Het ontbijt, olie op doek
              El desayuno, óleo sobre tela

Joseph-Marie Vien
(Montpellier 1716 - Paris 1809)
Young Greek Maidens Decking the Sleeping Cupid with Flowers, oil on canvas
Junge Griechinnen schmücken den schlafenden Amor mit Blumen, Öl auf Leinwand
Jonge Griekse vrouwen versieren de slapende Amor met bloemen, olie op doek
Jóvenes griegas adornan con flores a Amor mientras duerme, óleo sobre tela
1773
335 x 194 cm / 132 x 76.4 in.

François-Hubert Drouais
(Paris 1727 - 1775)
Madame Drouais, wife of the artist,
oil on canvas
Madame Drouais, die Frau des Künstlers,
Öl auf Leinwand
Portret van zijn vrouw, olie op doek
Retrato de Madame Drouais, óleo sobre tela
post 1758
82 x 62 cm / 32.3 x 24.4 in.

Jean-Honoré Fragonard   *Le Verrou (The Bolt)*, oil on canvas   *ca.* 1777
(Grasse 1732 - Paris 1806)   *Der Riegel*, Öl auf Leinwand   74 x 94 cm / 29.2 x 37 in.
   De grendel, olie op doek
   El cerrojo, óleo sobre tela

Jean-Honoré Fragonard
(Grasse 1732 - Paris 1806)

La chemise enlevée (The Shirt Removed), oil on canvas
La chemise enlevée, Öl auf Leinwand
De chemise enlevée, olie op doek
La chemise enlevée, óleo sobre tela

ca. 1770
35 x 42 cm / 13.8 x 16.5 in.

Jean-Baptiste Greuze *L'accordée de village*, oil on canvas   1761
(Tournus 1725 - Paris 1805) *L'accordée de village*, Öl auf Leinwand 92 x 117 cm / 36.2 x 46.1 in.
 De *accordée de village*, olie op doek
 La boda pueblerina, óleo sobre tela

Louis-Léopold Boilly   *Downpour*, oil on canvas   *ca.* 1805
(La Bassée 1761 - Paris 1845)   *Der Platzregen*, Öl auf Leinwand   32 x 40 cm / 12.6 x 15.8 in.
                              De stortbui, olie op doek
                              El aguacero, óleo sobre tela

Pierre-Paul Prud'hon
(Cluny 1758 - Paris 1823)
Empress Josephine, oil on canvas
Portrait der Kaiserin Joséphine,
Öl auf Leinwand
Portret van keizerin Jozefina,
olie op doek
Retrato de la emperatriz Josefina,
óleo sobre tela
1805
244 x 179 cm / 96.1 x 70.5 in.

Jacques-Louis David
(Paris 1748 - Brussels 1825)

Madame Récamier, oil on canvas
Portrait der Madame Récamier,
Öl auf Leinwand
Portret van Madame Récamier,
olie op doek
Retrato de Madame Récamier,
óleo sobre tela

1800
174 x 224 cm /
68.6 x 88.3 in.

François Gérard
(Roma 1770 - Paris 1837)

Cupid and Psyche, oil on canvas
Amor und Psyche, Öl auf Leinwand
Amor en Psyche, olie op doek
Amor y Psiquis, óleo sobre tela

1798
186 x 132 cm / 73.3 x 52 in.

Jacques-Louis David
(Paris 1748 - Brussels 1825)

Oath of the Horatii, oil on canvas
Der Schwur der Horatier, Öl auf Leinwand
De eed van de Orazi, olie op doek
El juramento de los Horacios, óleo sobre tela

1784
330 x 425 cm / 130 x 167.5 in.

Jacques-Louis David
(Paris 1748 - Brussels 1825)
Coronation of Napoleon, oil on canvas
Die Krönung Napoleons, Öl auf Leinwand
De kroning van Napoleon, olie op doek
La coronación de Napoleón, óleo sobre tela
1806-1807
629 x 979 cm / 247.8 x 385.7 in.

Horace Vernet *Gate at Clichy*, oil on canvas 1820
(Paris 1789 - 1863) *Der Kampf an der Barrikade in Clichy am 30. März*, Öl auf Leinwand 98 x 131 cm / 38.6 x 51.6 in.
 Porte de Clichy, olie op doek
 La puerta de Clichy, óleo sobre tela

Paul Delaroche
(Paris 1797 - 1856)
Napoleon Crossing the Alps, oil on canvas
Napoleon überquert die Alpen, Öl auf Leinwand
Napoleon trekt door de Alpen, olie op doek
Napoleón cruzando los Alpes, óleo sobre tela
1848
289 x 222 cm / 113.9 x 87.5 in.

Antoine-Jean Gros
(Paris 1771 - Meudon 1835)

Napoleon visits the Plague-Stricken in Jaffa, oil on canvas
Napoleon im Pesthaus von Jaffa, Öl auf Leinwand
Napoleon bezoekt de met pest besmette zieken van Jaffa, olie op doek
Napoleón visita a los apestados de Jaffa, óleo sobre tela

1804
523 x 715 cm / 206.1 x 281.7 in.

Jean-Auguste-Dominique Ingres   *La Grande Odalisque*, oil on canvas   1814
(Montauban 1780 - Paris 1867)   *Die große Odaliske*, Öl auf Leinwand   146 x 97 cm / 57.5 x 38.2 in.
                                    De grote odalisk, olie op doek
                                    La gran odalisca, óleo sobre tela

Jean-Auguste-Dominique Ingres
(Montauban 1780 - Paris 1867)
Turkish Bath, oil on canvas
Das türkische Bad, Öl auf Leinwand
Het Turkse bad, olie op doek
El baño turco, óleo sobre tela
1862
108 x 110 cm / 42.6 x 43.3 in.

Jean-Auguste-Dominique Ingres
(Montauban 1780 - Paris 1867)
Louis-François Bertin, oil on canvas
Portrait des Louis-François Bertin, Öl auf Leinwand
Portret van Louis-François Bertin, olie op doek
Retrato de Louis-François Bertin, óleo sobre tela
1832
116 x 95 cm / 45.7 x 37.4 in.

Jean-Auguste-Dominique Ingres
(Montauban 1780 - Paris 1867)
Mademoiselle Rivière, oil on canvas
Portrait der Mademoiselle Rivière,
Öl auf Leinwand
Portret van Mademoiselle Rivière,
olie op doek
Retrato de Mademoiselle Rivière,
óleo sobre tela
1806
100 x 70 cm / 39.4 x 27.6 in.

Jean-Auguste-Dominique Ingres
(Montauban 1780 - Paris 1867)

Apotheosis of Homer, oil on canvas
Die Apotheose Homers, Öl auf Leinwand
De apotheose van Homerus, olie op doek
La apoteosis de Homero, óleo sobre tela

1827
386 x 512 cm / 152.1 x 201.7 in.

Hippolyte Flandrin
(Lyon 1809 - Roma 1864)

Nude Youth Sitting by the Sea,
oil on canvas
Junger Mann am Meeresufer sitzend,
Öl auf Leinwand
Jongen aan zee, olie op doek
Muchacho sentado al borde del mar,
óleo sobre tela

1836
98 x 124 cm /
38.6 x 48.9 in.

▶ **Théodore Chassériau**
(Samaná, Saint-Domingue 1819 -
Paris 1856)

Toilet of Esther, oil on canvas
Die Toilette der Esther, Öl auf Leinwand
Het toilet van Ester, olie op doek
El baño de Ester, óleo sobre tela

1841
45 x 35 cm /
17.7 x 13.8 in.

Théodore Géricault   *Raft of the Medusa*, oil on canvas   1819
(Rouen 1791 - Paris 1824)   *Das Floß der Medusa*, Öl auf Leinwand   491 x 716 cm / 193.5 x 282.1 in.
Het vlot van Medusa, olie op doek
La balsa de la Medusa , óleo sobre tela

Théodore Géricault
(Rouen 1791 - Paris 1824)
Madwoman and Compusive Gambler, oil on canvas
Die Verrückte, Öl auf Leinwand
De waanzinnige, olie op doek
La loca, óleo sobre tela
ca. 1820
77 x 65 cm / 30.3 x 25.6 in.

▶ **Eugène Delacroix**
(Charenton-Saint-Maurice 1798 - Paris 1863)
Women of Algiers (in their apartment), oil on canvas
Frauen von Algier in ihrem Gemach, Öl auf Leinwand
Vrouwen van Algiers in hun kamers, olie op doek
Mujeres de Argel en su apartamento, óleo sobre tela
1834
180 x 229 cm / 70.9 x 90.2 in.

Eugène Delacroix
(Charenton-Saint-Maurice 1798 - Paris 1863)

Liberty Leading the People, oil on canvas
Die Freiheit führt das Volk, Öl auf Leinwand
De Vrijheid leidt het volk, olie op doek
La Libertad guiando al pueblo, óleo sobre tela

1831
260 x 325 cm / 102.4 x 128.1 in.

Camille Corot　　*Bridge at Narni*, oil on canvas　　1826
(Paris 1796 - 1877)　　*Die Brücke von Narni*, Öl auf Leinwand　　34 x 48 cm / 13.4 x 18.9 in.
　　　　De brug van Narni, olie op doek
　　　　El puente de Narni, óleo sobre tela

Camille Corot
(Paris 1796 - 1877)

Souvenir of Mortefontaine, oil on canvas
Erinnerung an Mortefontaine, Öl auf Leinwand
Herinnering aan Mortefontaine, olie op doek
Recuerdo de Mortefontaine, óleo sobre tela

1864
65 x 89 cm / 25.6 x 35.1 in.

Camille Corot
(Paris 1796 - 1877)
Chartres Cathedral, oil on canvas
Die Kathedrale von Chartres, Öl auf Leinwand
De kathedraal van Chartres, olie op doek
La catedral de Chartres, óleo sobre tela
1830
64 x 51 cm / 25.2 x 20.1 in.

Camille Corot
(Paris 1796 - 1877)
Woman in Blue, oil on canvas
Frau in Blau, Öl auf Leinwand
Vrouw met blauwe jurk, olie op doek
Señora de vestido azul, óleo sobre tela
1874
80 x 50,50 cm / 31,5 x 19,88 in.

Théodore Rousseau
(Paris 1812 - Barbizon 1867)
Oak Trees near Apremont,
oil on canvas
Die Eichen von Apremont,
Öl auf Leinwand
Groep eikenbomen, olie op doek
Encinas en Aspromonte,
óleo sobre tela
1855
64 x 100 cm / 25.2 x 39.4 in.

Théodore Rousseau
(Paris 1812 - Barbizon 1867)

Leaving the Forest, Fontainebleau, oil on canvas
Ausgang aus dem Wald von Fontainebleau, Öl auf Leinwand
Uitgang van het woud van Fontainebleau, olie op doek
La salida del bosque de Fontainebleau, óleo sobre tela

1850-1851
142 x 198 cm / 55.9 x 78 in.

Charles-François Daubigny *Flood-Gate at Optevoz*, oil on canvas 1859
(Paris 1817 - 1878) *Die Schleuse im Tal von Optevoz*, Öl auf Leinwand 48 x 73 cm / 18.9 x 28.8 in.
 Dijk van Optevoz, olie op doek
 La presa de Optevoz, óleo sobre tela

Constant Troyon
(Sèvres 1810 - Paris 1865)

View Towards the Seine from Suresnes, oil on canvas
Blick von den Höhen von Suresnes, Öl auf Leinwand
Zicht op de hoogvlakten van Suresnes, olie op doek
Vista de las alturas de Suresnes, óleo sobre tela

1856
182 x 265 cm / 71.7 x 104.4 in.

Jean-François Millet
(Gruchy 1814 - Barbizon 1875)

Harvesters, oil on canvas
Les bortteleurs de foin (Heuernte), Öl auf Leinwand
De hooiverzamelaars, olie op doek
Los gavilladores, óleo sobre tela

1850
56 x 65 cm / 22.1 x 25.6 in.

Italian Painting

The core of the Italian painting collection was formed under Francis I, a lover of Italian art, who bought works by Michelangelo and Raphael and invited Leonardo and other Mannerists to come and work for him. Later the collection was enlarged under Louis XIV, with the acquisition of the Jabach collection, with requisitions made during Napoleon's conquests and the Lemme donation. The collection offers a rich panorama of Italian painting from the medieval period up to the 18th century. In addition to the *Mona Lisa*, the symbol of the museum, we can admire masterpieces by the greatest Italian artists including Giotto, Mantegna, Botticelli, Raphael, Titian, Caravaggio, Guardi and Tiepolo.

Italienische Malerei

Diese Sammlung italienischer Gemälde wurde von Franz I. begründet, der sich in die italienische Kunst verliebt hatte. Er erwarb Werke von Michelangelo und Raffael und lud Leonardo sowie einige Manieristen ein, bei ihm zu arbeiten. Später, in der Epoche Ludwig XIV., mit den Eroberungen Napoleons und der Schenkung von Lemme, wurde die Sammlung um die von Jabach erweitert. Heute bietet sie einen umfassenden Überblick über die italienische Malerei vom Mittelalter bis zum 18. Jahrhundert. Neben dem Werk, das zu einem Symbol des Museums geworden ist, der *Mona Lisa*, kann man hier zahlreiche Meisterwerke der wichtigsten italienischen Künstler wie Giotto, Mantegna, Botticelli, Raffael, Tizian, Caravaggio, Guardi und Tiepolo bewundern.

Italiaanse schilderkunst

De aanvang van de verzameling van Italiaanse
schilderijen dateert uit de tijd van Franciscus I die
verliefd op de Italiaanse kunst geworden was. Hij
kocht de werken van Michelangelo en Rafaël en
nodigde Leonardo en enkele maniëristen uit om bij
hem te komen werken. Vervolgens werd de collectie
uitgebreid ten tijde van Lodewijk XIV met de
aanschaf van de Jabach-collectie, de veroveringen van
Napoleon en de Lemme-schenking. Tegenwoordig
verschaft de collectie ons een zeer rijk panorama van
de Italiaanse schilderkunst, van de middeleeuwen tot
de achttiende eeuw. Naast het werk dat een van de
symbolen van het museum geworden is, de *Gioconda*,
kunnen we de meesterwerken van de belangrijkste
Italiaanse kunstenaars aanschouwen: Giotto,
Mantegna, Botticelli, Rafaël, Titiaan, Caravaggio,
Guardi en Tiepolo.

Pintura italiana

El inicio de la colección de cuadros italianos remonta
a los tiempos de Francisco I, que enamorado del arte
italiano, adquirió obras de Miguel Ángel y Rafael e
invitó a Leonardo y a algunos manieristas para trabajar
cerca de él. Más tarde, la colección se enriqueció
durante los tiempos de Luis XIV, con la adquisición
de la colección Jabach, con las conquistas de Napoleón
y con la donación Lemme. La colección hoy presenta
un riquísimo panorama de la pintura italiana del
medioevo al siglo XVIII. Además de la obra que se
transformó en uno de los símbolos del museo, *La
Gioconda*, podemos admirar las obras maestras de los
máximos artistas italianos como Giotto, Mantegna,
Botticelli, Rafael, Tiziano, Caravaggio, Guardi y
Tiepolo.

Giotto
(Vespignano *ca.* 1267 - Firenze 1337)
Saint Francis Receives the Stigmata, tempera on
panel
Die Stigmata des Heiligen Franziskus, Tempera auf
Holztafel
De stigmata van de heilige Franciscus, tempera op
paneel
Las estigmas de San Francisco, témpera sobre tabla
ca. 1295-1300
313 x 163 cm / 132 x 64 in.

Cimabue
(active 1272 - 1302)
Maestà, tempera on panel
Maestà (Thronende Maria),
Tempera auf Holztafel
Maestà, tempera op paneel
Majestad, témpera sobre tabla
ca. 1270
427 x 280 cm / 168 x 110 in.

Simone Martini
(Siena *ca.* 1284 - Avignon 1344)
Road to Calvary, tempera on panel
Jesus auf dem Weg nach Golgatha, Tempera auf Holztafel
De gang naar Golgotha, tempera op paneel
Camino del Calvario, témpera sobre tabla
ca. 1335
30 x 20 cm / 11.8 x 7.88 in.

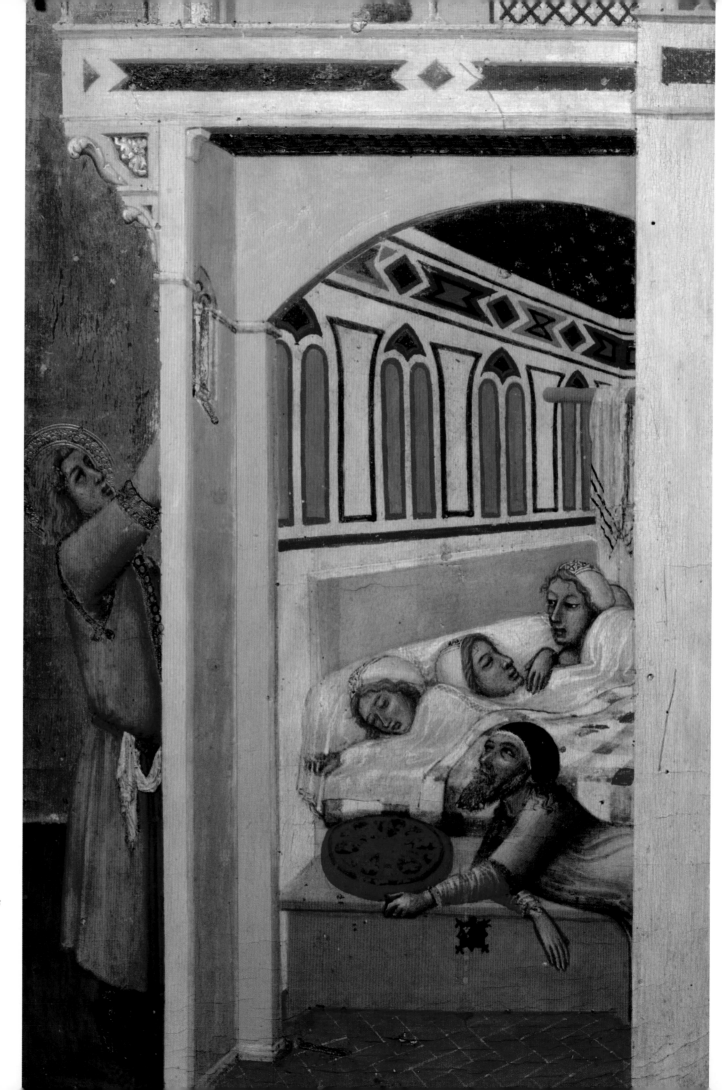

Ambrogio Lorenzetti
(Siena 1285 - *ca.* 1348)
Charity of Saint Nicholas of Bari,
tempera on panel
Die Mildtätigkeit des Heiligen Nikolaus
von Bari, Tempera auf Holztafel
De naastenliefde van de heilige Nicolaas
van Bari, tempera op paneel
La caridad de San Nicolás de Bari,
témpera sobre tabla
1330-1340
30 x 20 cm / 11.8 x 7.88 in.

Pietro Lorenzetti
(Siena *ca.* 1280/1285 - *ca.* 1348)
Adoration of the Magi,
tempera on panel
Die Anbetung der Könige,
Tempera auf Holztafel
Aanbidding door de Wijzen,
tempera op paneel
Adoración de los Reyes Magos,
témpera sobre tabla
ca. 1335-1340
33 x 24 cm / 13 x 9.45 in.

▶ **Lorenzo Monaco**
(Siena ? *ca.* 1370 - Firenze
1423/1424)
Banquet of Herod,
tempera on panel
Das Bankett von Herodes,
Tempera auf Holztafel
Banket van Herodus,
tempera op paneel
El banquete de Herodes,
témpera sobre tabla
1387-1388

Gentile da Fabriano
(Fabriano *ca.* 1370 - Roma 1427)

Presentation at the Temple, tempera on panel
Die Präsentation im Tempel, Tempera auf Holztafel
Presentatie in de tempel, tempera op paneel
Presentación en el templo, témpera sobre tabla

1423
26 x 62 cm / 10.2 x 24.4 in.

Pisanello
(Pisa *ca.* 1395 - ? 1455)
Portrait of a Princess, oil on panel
Portrait einer Prinzessin, Öl auf Holztafel
Portret van jonge prinses, olie op paneel
Retrato de joven princesa, óleo sobre tabla
ca. 1435-1440
43 x 30 cm / 16.9 x 11.8 in.

◀ **Filippo Lippi**
(Firenze *ca.* 1406 - Spoleto 1469)
Madonna and Child with angels and Saints Frediano
and Augustine (Barbadori Altarpiece), tempera on panel
Maria mit dem Kind, Engeln und den Heiligen Frediano
und Augustinus (Barbadori-Altar), Tempera auf Holztafel
Madonna met Kind tussen engelen en de heiligen Fredianus
en Augustinus (Pala Barbadori), tempera op paneel
Virgen con el Niño entre ángeles y San Frediano y San Agustín
(Retablo Barbadori), témpera sobre tabla
1437
208 x 244 cm / 81.9 x 96.1 in.

Beato Angelico
(Vicchio *ca.* 1395 - Roma 1455)
Coronation of the Virgin,
tempera on panel
Die Krönung der Jungfrau,
Tempera auf Holztafel
Kroning van de Maagd,
tempera op paneel
Coronación de la Virgen,
témpera sobre tabla
1430-1432
209 x 206 cm / 82.3 x 81.1 in.

Paolo Uccello
(Firenze 1397 - 1475)
Battle of San Romano, tempera on panel
Die Schlacht von San Romano, Tempera
auf Holztafel
De Slag bij San Romano, tempera
op paneel
Batalla de San Romano, témpera sobre
tabla
ca. 1435-1440
182 x 317 cm / 71.7 x 124.8 in.

Alessio Baldovinetti
(Firenze *ca.* 1425 - 1499)
Madonna and Child, tempera on panel
Maria mit dem Kind, Tempera auf Holztafel
Madonna met Kind, tempera op paneel
Virgen con el Niño, témpera sobre tabla
ca. 1464
106 x 75 cm / 41.7 x 29.5 in.

◀ **Sassetta**
(Siena 1392 - *ca.* 1450)
*Madonna and Child surrounded by Six Angels, Saint
Anthony of Padua and Saint John the Evangelist*, tempera
on panel
*Maria mit dem Kind, Engeln, dem Heiligen Antonius
von Padua und Johannes dem Evangelisten*, Tempera auf
Holztafel
*Madonna met Kind tussen de heiligen Antonius van Padua
en Johannes de Evangelist*, tempera op paneel
*Virgen con el Niño y ángeles entre San Antonio de Padua y
San Juan Evangelista*, témpera sobre tabla
1437-1444
207 x 118 cm / 106 x 46.49 in.

Ghirlandaio
(Firenze 1449 - 1494)
Old Man and His Grandson, oil on canvas
Alter Mann und Knabe, Öl auf Leinwand
Oude man met kind, olie op doek
El anciano con su nieto, óleo sobre lienzo
ca. 1490
62,7 x 46,3 cm / 24.7 x 18.2 in.

Piero della Francesca
(Borgo Sansepolcro *ca.* 1416 - 1492)
Sigismondo Malatesta, panel
Portrait von Sigismondo Malatesta, Holztafel
Portret van Sigismondo Malatesta, paneel
Retrato de Sigismondo Malatesta, tabla
ca. 1450-1451
44 x 34 cm / 17.3 x 13.4 in.

Sandro Botticelli
(Firenze 1445 - 1510)
Madonna Adoring the Child with Five Angels, tempera on panel
Maria mit dem Kind und fünf Engeln, Tempera auf Holztafel
Madonna met Kind en vijf engelen, tempera op paneel
Virgen con el Niño y cinco ángeles, témpera sobre tabla
ca. 1470
58 x 40 cm / 22.8 x 15.7 in.

◀ **Sandro Botticelli**
(Firenze 1445 - 1510)
Venus and the Three Graces Presenting Gifts to a Young Woman, fresco
Venus und die Grazien übergeben einer jungen Frau Geschenke, Fresko
Venus en de Gratiën bieden een meisje geschenken aan, fresco
Venus y las tres Gracias entregan regalos a una joven, fresco
1483-1485
211 x 283 cm / 83.1 x 111.5 in.

Filippino Lippi *Three Scenes from the Story of Esther*, panel   *ca.* 1470-1475
(Prato 1457 - Firenze 1504) *Geschichte der Esther*, Holztafel   48 x 132 cm / 18.9 x 52 in.
  Verhalen over Esther, paneel
  Historias de Ester, tabla

Perugino
(Città della Pieve *ca.* 1450 - Fontignano 1523)

Combat Between Love and Chastity, oil on canvas
Der Kampf der Keuschheit gegen die Wollust, Öl auf Leinwand
Gevecht tussen Liefde en Kuisheid, olie op doek
Lucha entre el Amor y la Castidad, óleo sobre lienzo

1505
160 x 191 cm / 63 x 75.2 in.

Perugino
(Città della Pieve *ca*. 1450 - Fontignano 1523)
Apollo and Marsyas, oil on canvas
Apollo und Marsyas, Öl auf Leinwand
Apollo en Marsia, olie op doek
Apolo y Marcia, óleo sobre lienzo
ca. 1495-1500
39 x 29 cm /15.3 x 11.4 in.

Andrea Mantegna
(Isola di Carturo 1431 -
Mantova 1506)
Madonna of Victory,
tempera on canvas
Die Siegesmadonna,
Tempera auf Leinwand
Madonna van de *Overwinning*,
tempera op doek
Virgen de la Victoria,
témpera sobre lienzo
1496
285 x 168 cm / 112.3 x 66.2 in.

Andrea Mantegna
(Isola di Carturo 1431 - Mantova 1506)
Saint Sebastian, tempera on canvas
Der Heilige Sebastian, Tempera auf Leinwand
De heilige Sebastianus, tempera op doek
San Sebastián, témpera sobre lienzo
ca. 1481
257 x 142 cm / 101.3 x 55.9 in.

Andrea Mantegna
(Isola di Carturo 1431 - Mantova 1506)

Minerva Expelling the Vices from the Garden of Virtue, tempera on canvas
Sieg der Tugend über die Laster, Tempera auf Leinwand
Triomf van de Deugd, tempera op doek
Triunfo de la Virtud, témpera sobre lienzo

1502
160 x 192 cm / 63 x 75.6 in.

Andrea Mantegna
(Isola di Carturo 1431 - Mantova 1506)

Parnassus, tempera on canvas
Der Parnass, Tempera auf Leinwand
Parnassus, tempera op doek
El Parnaso, témpera sobre lienzo

1497
159 x 192 cm / 62.6 x 75.6 in.

◀ **Giovanni Bellini**
(Venezia *ca.* 1432 - 1516)

Crucifixion, oil on panel
Kreuzigung, Öl auf Holztafel
Kruisiging, olie op paneel
Crucifixión, óleo sobre tabla

ca. 1465-1470
71 x 63 cm / 28 x 24.8 in.

Andrea Mantegna
(Isola di Carturo 1431 -
Mantova 1506)

Crucifixion, tempera on panel
Kreuzigung, Tempera auf Holztafel
Kruisiging, tempera op paneel
Crucifixión, témpera sobre tabla

1456-1459
76 x 96 cm / 29.9 x 37.8 in.

Giovanni Bellini
(Venezia *ca.*1432 - 1516)
Portrait of a Man, oil on panel
Portrait eines Mannes, Öl auf Holztafel
Portret van een man, olie op paneel
Retrato de hombre, óleo sobre tabla
1490 - 1495
32 x 25 cm / 12.6 x 9.9 in.

Antonello da Messina
(Messina *ca.* 1430 - 1479)

Portrait of a Man, known as Il Condottiero, oil on panel
Portrait eines Mannes, genannt "Il Condottiere" (Der Söldnerführer), Öl auf Holztafel
Portret van man, genaamd "Condottiere", olie op paneel
Retrato de hombre o El Condotiero, óleo sobre tabla

1475
36 x 30 cm / 14.2 x 11.8 in.

Vittore Carpaccio
(Venezia *ca.* 1460 - 1526)

Sermon of Saint Stephen at Jerusalem, oil on panel
Predigt des Heiligen Stephanus vor den Toren Jerusalems, Öl auf Holztafel
De preek van de heilige Stefanus, olie op paneel
La predicación de San Esteban, óleo sobre tabla

1514
148 x 194 cm / 58.3 x 76.4 in.

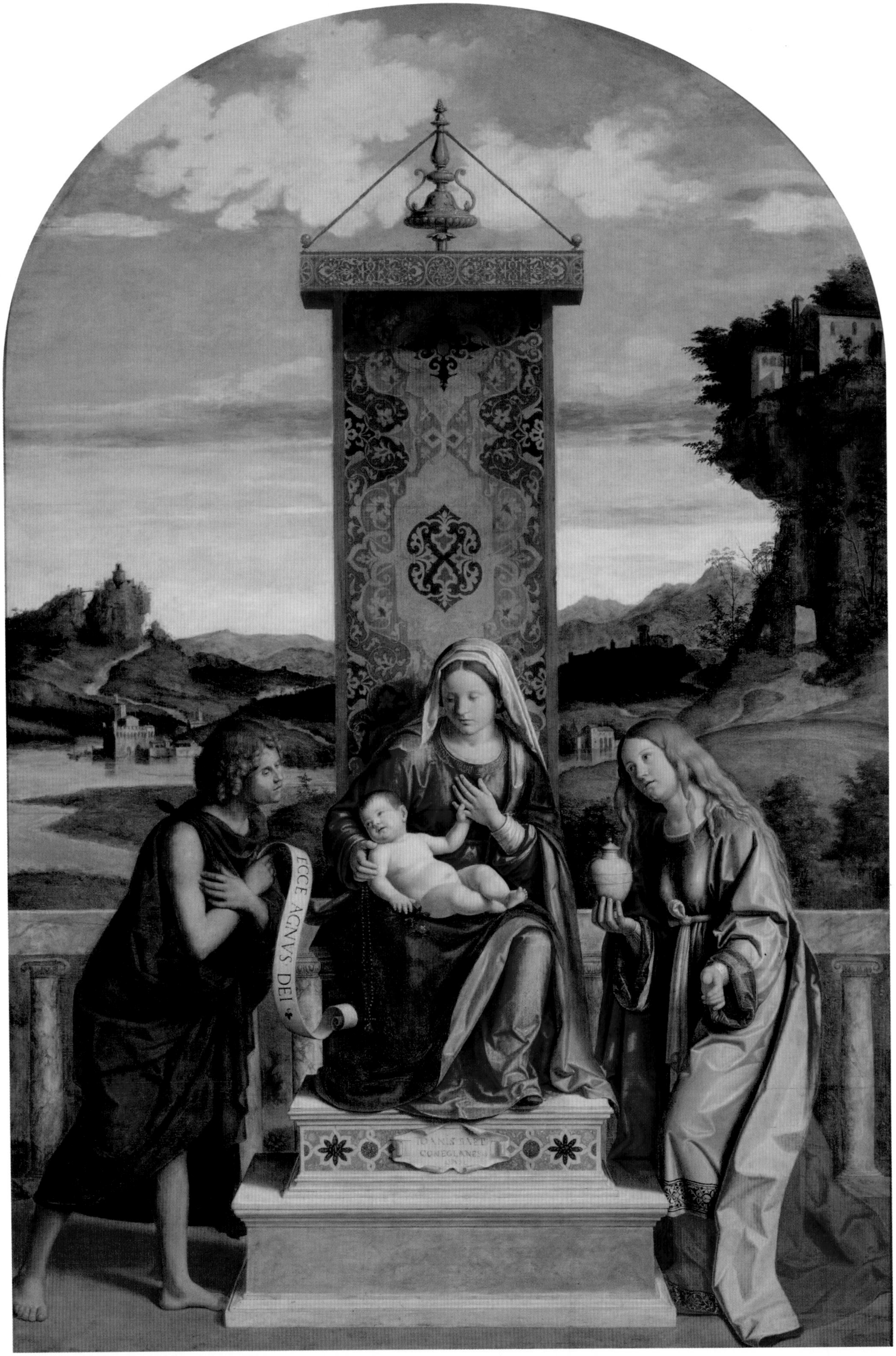
ECCE AGNVS DEI

◀ **Cima da Conegliano**
(Conegliano *ca.* 1459 - *ca.* 1517)

*Madonna and Child with Saint John the Baptist
and Mary Magdalen*, panel
*Maria mit dem Kind, Johannes dem Täufer
und der Heiligen Maria Magdalena*, Holztafel
*Madonna met Kind tussen de heiligen Johannes
de Doper en Maria Magdalena*, paneel
*Virgen con el Niño entre San Juan Bautista
y María Magdalena*, tabla

ca. 1511-1513
167 x 110 cm /
65.8 x 43.3 in.

Cosmè Tura
(Ferrara *ca.* 1430 - 1495)

Pietà, panel transferred to canvas
Pietà (Beweinung Christi), Holztafel, auf
Leinwand übertragen
Pietà, paneel overgebracht op doek
La Piedad, tabla trasportada sobre lienzo

ca. 1474
132 x 268 cm /
52 x 105.6 in.

Lorenzo Costa
(Ferrara 1460 - Mantova 1535)

Allegory of the Court of Isabella d'Este, oil on canvas
Der Musenhof der Isabella d'Este, Öl auf Leinwand
Allegorie van het hof van Isabella d'Este, olie op doek
Alegoría de la corte de Isabel de Este, óleo sobre lienzo

1505-1506
164 x 197 cm / 64.6 x 77.6 in.

Andrea Solario
(Milano *ca.* 1473 - Milano, 1524)
Madonna with the Green Cushion, oil on canvas
Madonna mit dem grünen Kissen, Öl auf Leinwand
Madonna van het groene kussen, olie op doek
La Virgen del cojín verde, óleo sobre lienzo
1507-1510
59 x 47 cm / 23.2 x 18.5 in.

◄ **Lorenzo di Credi**
(Firenze *ca.* 1459 - 1537)
*Madonna and Child with Saint Julian
and Saint Nicholas of Myra*
*Maria mit dem Kind und den Heiligen Julian
und Nikolaus*
*Madonna met Kind tussen de heiligen Julianus
en Nicolaas*
*Virgen con el Niño entre San Julián
y San Nicolás*
ca. 1494
163 x 164 cm / 64.2 x 64.6 in.

Leonardo da Vinci
(Vinci 1452 - Amboise 1519)
Mona Lisa, oil on panel
Mona Lisa, Öl auf Holztafel
La Gioconda, olie op paneel
La Gioconda, óleo sobre tabla
1503-1506
77 x 53 cm / 30.3 x 20.9 in.

▶ **Leonardo da Vinci**
(Vinci 1452 - Amboise 1519)
La Belle Ferronnière, oil on panel
La Belle Ferronnière, Öl auf Holztafel
La Belle Ferronnière, olie op paneel
La Belle Ferronnière, óleo sobre tabla
1495-1499
63 x 45 cm / 24.8 x 17.7 in.

Leonardo da Vinci
(Vinci 1452 - Amboise 1519)
Virgin of the Rocks, oil on panel transferred
to canvas
Die Madonna in der Felsengrotte,
Öl auf Holztafel, auf Leinwand übertragen
Maagd van de rotsen, olie op paneel
overgebracht op doek
La Virgen de las rocas, óleo sobre tabla
trasportado sobre lienzo
1483-1486
199 x 122 cm / 78.4 x 48.1 in.

Leonardo da Vinci
(Vinci 1452 - Amboise 1519)
Saint John the Baptist, oil on panel
Heiliger Johannes der Täufer, Öl auf Holztafel
De heilige Johannes de Doper, olie op paneel
San Juan Bautista, óleo sobre tabla
1508-1513
69 x 57 cm / 27.2 x 22.5 in.

Leonardo da Vinci
(Vinci 1452 - Amboise 1519)
Virgin and Child with Saint Anne, oil on panel
*Anna selbdritt (Heilige Anna mit der Jungfrau Maria
und dem Kind)*, Öl auf Holztafel
De Maagd met Kind en de heilige Anna, olie op paneel
La Virgen con el Niño y Santa Ana, óleo sobre tabla
ca. 1510-1513
168 x 130 cm / 66.2 x 51.2 in.

Raffaello
(Urbino 1483 - Roma 1520)
Madonna and Child with Infant Saint John the Baptist (La Belle Jardinière),
oil on panel
Maria mit dem Kind und dem jungen Johannes dem Täufer ("Belle Jardinière"),
Öl auf Holztafel
Madonna met Kind en de kleine heilige Johannes, genaamd "Belle Jardinière",
olie op paneel
Virgen con el Niño y San Juan Bautista niño denominado La Bella Jardinera,
óleo sobre tabla
1507
122 x 80 cm / 48.1 x 31.5 in.

Raffaello
(Urbino 1483 - Roma 1520)
Portrait of Baldassare Castiglione, oil on panel
transferred to canvas
Bildnis des Baldassare Castiglione,
Öl auf Leinwand auf Holztafel übertragen
Portret van Baldassare Castiglione, olie op doek
overgebracht op paneel
Retrato de Baldassare Castiglione, óleo sobre lienzo
trasportado sobre lienzo
ca. 1514-1515
82 x 67 cm / 32.3 x 26.4 in.

◀ **Raffaello**
(Urbino 1483 - Roma 1520)
Self-portrait with Friend, oil on canvas
Selbstbildnis mit einem Freund, Öl auf Leinwand
Zelfportret met een vriend, olie op doek
Autorretrato con un amigo, óleo sobre lienzo
ca. 1518-1519
99 x 83 cm / 39 x 32.7 in.

Sebastiano del Piombo
(Venezia *ca.* 1485 - Roma 1547)
Visitation, panel transferred to canvas
Mariä Heimsuchung, Holztafel, auf Leinwand
übertragen
Visitatie, paneel overgebracht op doek
Visitación, tabla trasportada sobre lienzo
1518-1519
168 x 132 cm / 66.2 x 52 in.

Giulio Romano
(Roma *ca.* 1490 - Mantova 1546)
The Adoration of the Shepherds
with Saint Longinus and Saint John
the Evangelist, oil on panel
Die Anbetung der Hirten und die
Heiligen Longinus und Johannes
der Evangelist, Öl auf Holztafel
Aanbidding van de herders tussen
de heiligen Longino en Johannes de
Evangelist, olie op paneel
Adoración de los pastores entre San
Longino y San Juan Evangelista,
óleo sobre tabla
1532-1534
275 x 213 cm / 108.4 x 83.9 in.

Pontormo
(Pontormo 1494 - Firenze 1556)
Virgin and Child with Saint Anne and Four Saints,
oil on panel
Maria mit dem Kind, der Heiligen Anna und vier Heiligen,
Öl auf Holztafel
De Maagd met Kind met de heilige Anna en vier heiligen,
olie op paneel
La Virgen con el Niño con Santa Ana y cuatro santos,
óleo sobre tabla
1527-1529
228 x 176 cm / 89.8 x 69.3 in.

Andrea del Sarto
(Firenze 1486 - 1530)
Holy Family, oil on panel
Maria mit dem Kind, dem jungen Johannes dem Täufer,
der Heiligen Anna und zwei Engeln, Öl auf Holztafel
Madonna met Kind met de kleine heilige Johannes,
de heilige Anna en twee engelen, olie op paneel
Virgen con el Niño y San Juan Bautista niño, Santa Ana
y dos ángeles, óleo sobre tabla
ca. 1516
141 x 108 cm / 55.6 x 42.6 in.

Rosso Fiorentino   *Pietà*, oil on panel   1530-1535
(Firenze 1494 - Fontainebleau 1540)   *Pietà (Beweinung Christi)*, Öl auf Holztafel   127 x 163 cm / 50 x 64.2 in.
                              Pietà, olie op paneel
                              La Piedad, óleo sobre tabla

Bronzino
(Firenze 1503 - 1572)
Portrait of a Man Holding a Statuette,
oil on panel transferred to canvas
Portrait eines jungen Mannes mit Statue,
Öl auf Holztafel, auf Leinwand
übertragen
Portret van man met standbeeldje, olie op
paneel overgebracht op doek
Retrato de un escultor, óleo sobre tabla
trasportado sobre lienzo
1545-55
99 x 79 cm / 39 x 31.1 in.

Pontormo
(Pontormo 1494 - Firenze 1556)

Portrait of a Goldsmith, panel
Portrait eines Goldschmieds, Holztafel
Portret van goudsmid, paneel
Retrato de joyero, tabla

ca. 1517-1518
70 x 53 cm / 27.6 x 20.9 in.

Bronzino
(Firenze 1503 - 1572)
Noli me tangere, panel
Noli me tangere, Holztafel
Noli me tangere, paneel
Noli me tangere, tabla
1561
289 x 194 cm / 113.9 x 76.4 in.

Tiziano
(Pieve di Cadore *ca.* 1490 - Venezia 1576)

The Pastoral Concert, oil on canvas
Ländliches Konzert, Öl auf Leinwand
Veldconcert, olie op doek
Concierto campestre, óleo sobre lienzo

ca. 1509
105 x 137 cm / 41.4 x 54 in.

Tiziano
(Pieve di Cadore *ca.* 1490 - Venezia 1576)

Man with a Glove, oil on canvas
Portrait eines Mannes, genannt "Der Mann mit dem Handschuh", Öl auf Leinwand
Portret van een man, genaamd "de man met de handschoen", olie op doek
Retrato de hombre, denominado El hombre del guante, óleo sobre lienzo

ca. 1520
100 x 89 cm / 39.4 x 35.1 in.

Tiziano
(Pieve di Cadore *ca.* 1490 - Venezia 1576)
Woman with a Mirror, oil on canvas
Frau vor dem Spiegel, Öl auf Leinwand
Vrouw met een spiegel, olie op doek
Mujer con un espejo, óleo sobre lienzo
ca. 1515
99 x 76 cm / 39 x 29.9 in.

Lorenzo Lotto
(Venezia 1480 - Loreto 1556)
Saint Jerome, oil on panel
Heiliger Hieronymus, Öl auf Holztafel
De heilige Hieronymus, olie op paneel
San Jerónimo, óleo sobre tabla
1506
48 x 40 cm / 18.9 x 15.8 in.

Correggio
(Correggio 1489 - 1534)
Venus and Cupid with a Satyr (also known as Jupiter and Antiope), oil on panel
Venus und Cupido mit einem Satyr, auch bekannt als "Jupiter und Antiope", Öl auf Holztafel
Venus en Cupido verrast door een sater, ook genaamd "Jupiter en Antiope", olie op paneel
Venus y Cupido descubiertos por un sátiro, también denominado Júpiter y Antíope, óleo sobre tabla
ca. 1524-1527
188 x 125 cm / 74.1 x 49.3 in.

Correggio
(Correggio 1489 - 1534)

Mystic Marriage of Saint Catherine, oil on panel
Die mystische Vermählung der Heiligen Katharina, Öl auf Holztafel
Mystiek huwelijk van de heilige Catherina, olie op paneel
La boda mística de Santa Catalina, óleo sobre tabla

1526-1527
105 x 102 cm / 41.4 x 40.2 in.

Tintoretto
(Venezia 1518 - 1594)
Self-portrait, oil on canvas
Selbstbildnis, Öl auf Leinwand
Zelfportret, olie op doek
Autorretrato, óleo sobre lienzo
ca. 1588
63 x 52 cm / 24.8 x 20.5 in.

▶ **Giovanni Gerolamo Savoldo**
(Brescia *ca.* 1480 - Venezia ? *post* 1548)
Self-Portrait (Portrait of Gaston de Foix), oil on canvas
Selbstbildnis vor dem Spiegel, auch bekannt als
"Portrait des Gaston de Foix", Öl auf Leinwand
Zelfportret in de spiegel, ook genaamd "Portret van
Gaston de Foix", olie op doek
Autorretrato en el espejo, también denominado Retrato
de Gaston de Foix, óleo sobre lienzo
1525
91 x 123 cm / 35.9 x 48.5 in.

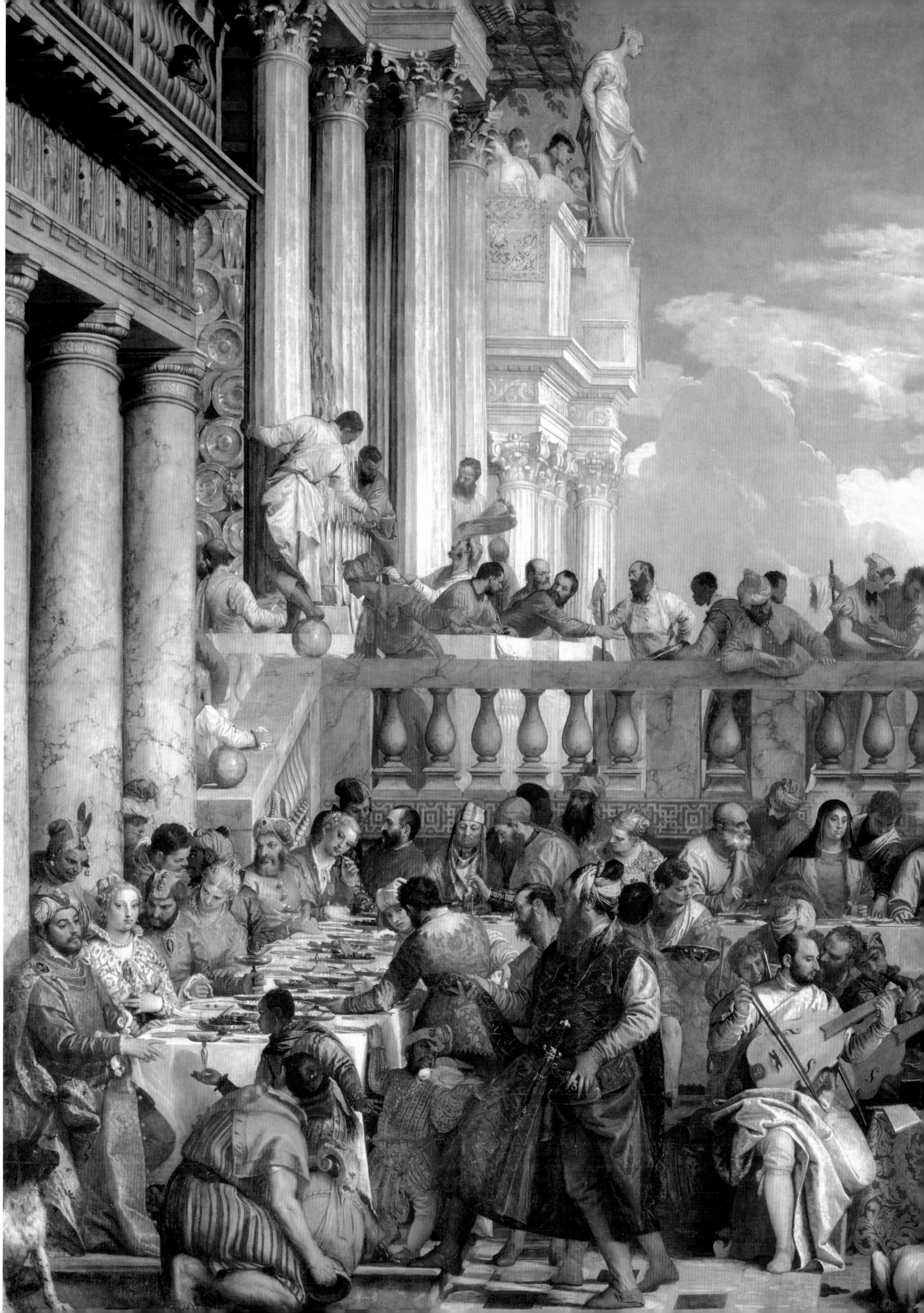

Paolo Veronese
(Verona 1528 - Venezia 1588)
Wedding at Cana, oil on canvas
Die Hochzeit zu Kana, Öl auf Leinwand
De bruiloft van Kanaän, olie op doek
Las bodas de Caná, óleo sobre lienzo
1563
677 x 994 cm / 266.7 x 391.6 in.

Arcimboldo
(Milano 1527 - 1593)
Summer, oil on panel
Der Sommer, Öl auf Holztafel
Zomer, olie op paneel
Verano, óleo sobre tabla
1573
76 x 64 cm / 29.9 x 25.2 in.

Paolo Veronese
(Verona 1528 - Venezia 1588)
Portrait of a Woman, called
La Bella Nani, oil on canvas
Portrait einer Venezianerin,
genannt "La Belle Nani",
Öl auf Leinwand
Portret van een Venetiaanse,
genoemd "la Bella Nani",
olie op doek
Retrato de una mujer veneciana,
denominado la Bella Nani,
óleo sobre lienzo
ca. 1560
119 x 103 cm / 46.9 x 40.6 in.

Annibale Carracci
(Bologna 1560 - Roma 1609)
*Apparition of the Virgin to Saint Luke and Saint
Catherine, also known as The Virgin of Saint Luke,*
oil on canvas
*Die Jungfrau Maria erscheint dem Heiligen Lukas
und der Heiligen Katharina, auch bekannt als
"Die Madonna des Heiligen Lukas",* Öl auf Leinwand
*Verschijning van de Maagd aan de heilige Lucas en de
heilige Catherina, ook genoemd "Madonna van de heilige
Lucas",* olie op doek
*Aparición de la Virgen ante San Lucas y Santa
Catalina, también denominada Virgen de San Lucas,*
óleo sobre lienzo
1592
401 x 226 cm / 158 x 89 in.

Annibale Carracci
(Bologna 1560 - Roma 1609)

Fishing, oil on canvas
Landschaft mit Fischerszene, Öl auf Leinwand
Landschap met visserstafereel, olie op doek
Paisaje con escena de pesca, óleo sobre lienzo

ca. 1585-1588
136 x 255 cm / 53.6 x 100.5 in.

Caravaggio
(Milano 1571 - Porto Ercole 1610)
Death of the Virgin, oil on canvas
Der Marientod, Öl auf Leinwand
De dood van Maria, olie op doek
La muerte de la Virgen, óleo sobre lienzo
1605-1606
369 x 245 cm / 145.4 x 96.5 in.

Caravaggio
(Milano 1571 - Porto Ercole 1610)

Fortune Teller, oil on canvas
La buona ventura (das Glück), Öl auf Leinwand
La buona ventura, olie op doek
La buenaventura, óleo sobre lienzo

ca. 1595-1598
99 x 131 cm / 39 x 51.6 in.

Orazio Gentileschi
(Pisa 1563 - London 1639)

Rest on the Flight into Egypt, oil on canvas
Ruhe auf der Flucht nach Ägypten, Öl auf Leinwand
Rust tijdens de vlucht naar Egypte, olie op doek
Descanso durante la huída a Egipto, óleo sobre lienzo

1628
157 x 225 cm / 61.9 x 88.7 in.

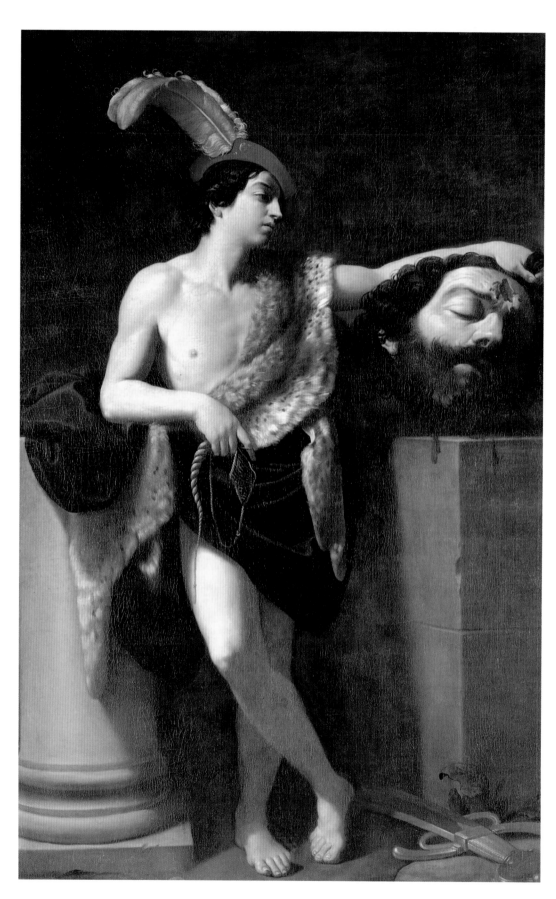

Guido Reni
(Bologna 1575 - 1642)
David and Goliath, oil on canvas
David und Goliath, Öl auf Leinwand
David en Goliath, olie op doek
David y Golía, óleo sobre lienzo
ca. 1604-1606
237 x 137 cm / 93.4 x 54 in.

▶ **Guido Reni**
(Bologna 1575 - 1642)
Abduction of Helen, oil on canvas
Der Raub der Helena, Öl auf Leinwand
De Roof van Elena, olie op doek
El Rapto de Helena, óleo sobre lienzo
1626-1629
253 x 265 cm / 99.7 x 104.4 in.

◀ **Domenichino**
(Bologna 1581 - Napoli 1641)

Landscape with Flight into Egypt,
oil on canvas
Landschaft mit der Flucht nach Ägypten,
Öl auf Leinwand
Landschap met de vlucht naar Egypte,
olie op doek
Paisaje con la huída a Egipto,
óleo sobre lienzo

ca. 1620-1623
164 x 213 cm /
64.6 x 83.9 in.

Guercino
(Cento 1591 - Bologna 1666)

Raising of Lazarus,
oil on canvas
Die Auferweckung des Lazarus,
Öl auf Leinwand
De opstanding van Lazarus,
olie op doek
La resurrección de Lázaro,
óleo sobre lienzo

1619
201 x 233 cm /
79.2 x 91.8 in.

Francesco Albani *Diana and Actaeon*, oil on canvas   1617
(Bologna 1578 - 1660) *Diana und Aktäon*, Öl auf Leinwand   52 x 61 cm / 20.5 x 24 in.
                       Diana en Atteone, olie op doek
                       Diana y Acteón, óleo sobre lienzo

Domenico Fetti   *Melancholy*, oil on canvas   *ca.* 1618-1623
(Roma 1589 - Venezia 1623)   *Melancholie*, Öl auf Leinwand   171 x 128 cm / 67.4 x 50.4 in.
    Melancholie, olie op doek
    La melancolía, óleo sobre lienzo

Salvator Rosa
(Napoli 1615 - Roma 1673)
Saul and the Witch of Endor, oil on canvas
Saul bei der Hexe zu Endor (Die Hexe von Endor beschwört
vor Saul den Geist Samuels), Öl auf Leinwand
De geest van Samuel wordt door de heks van Endor opgeroepen
voor de ogen van Saul, olie op doek
Aparición del espíritu de Samuel a Saúl por la bruja
de Endor, óleo sobre lienzo
ca. 1668
273 x 193 cm / 107.6 x 76 in.

▶ **Pietro da Cortona**
(Cortona 1597 - Roma 1669)
Romulus and Remus Given Shelter by Faustulus,
oil on canvas
Faustulus findet Romolus und Remus, Öl auf Leinwand
Romolus en Remus worden gevonden door Faustulus,
olie op doek
Rómulo y Remo cobijados por Faústulo, óleo sobre lienzo
ca. 1643
251 x 265 cm / 98.9 x 104.4 in.

444 Louvre

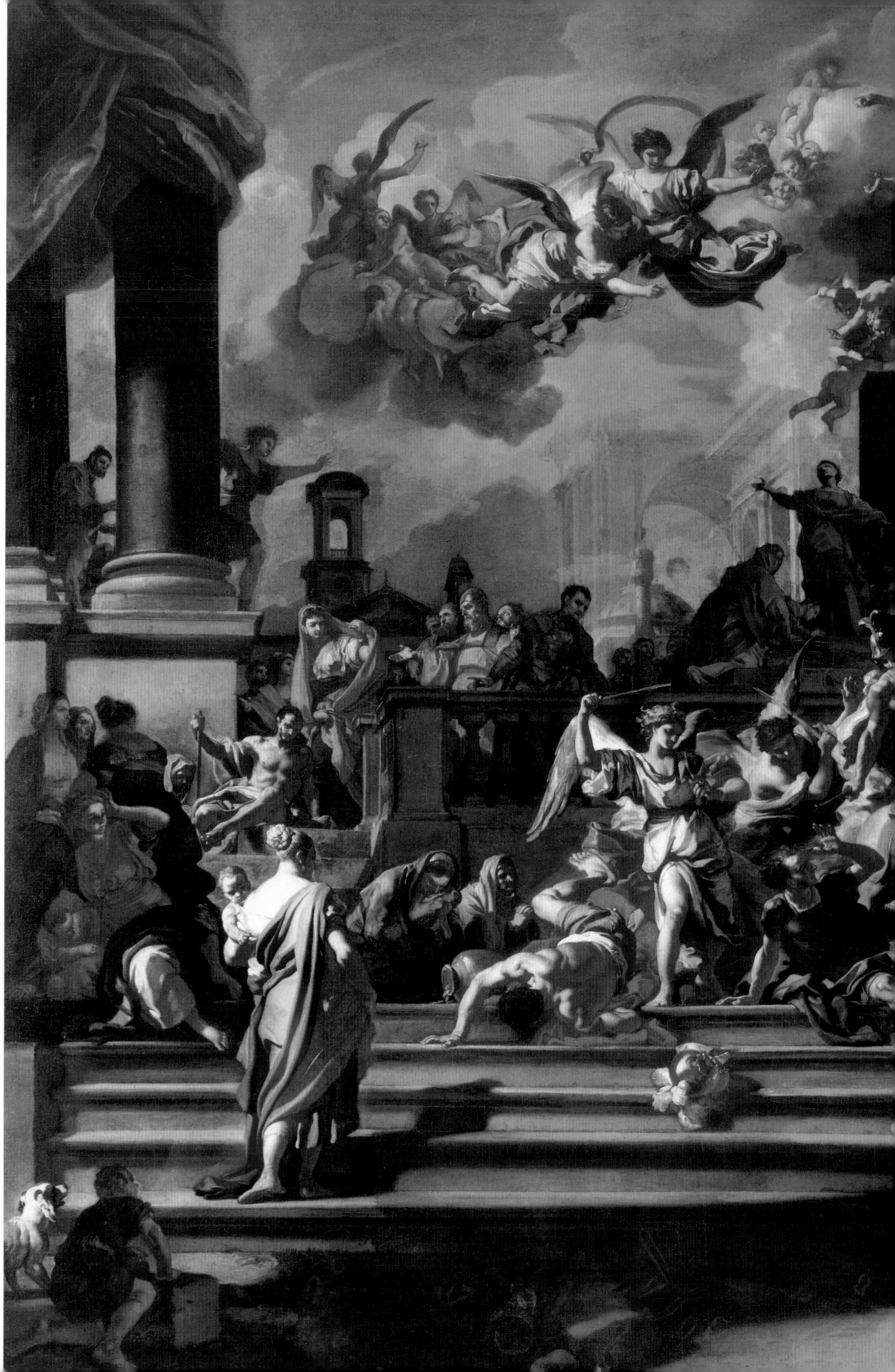

Francesco Solimena
(Canale di Serino 1657 - Napoli 1747)
Expulsion of Heliodorus from the Temple, oil on canvas
Heliodor wird aus dem Tempel vertrieben, Öl auf Leinwand
Heliodorus wordt uit de tempel verdreven, olie op doek
La expulsión de Heliodoro del templo, óleo sobre lienzo
ca. 1725
150 x 200 cm / 59.1 x 78.8 in.

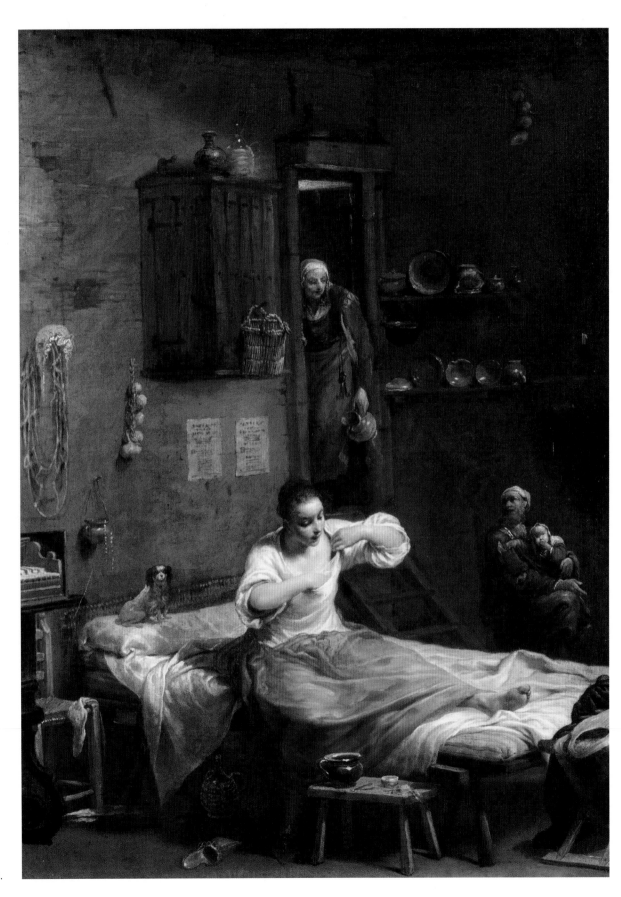

Giuseppe Maria Crespi
(Bologna 1665 - 1747)
Flea, oil on canvas
Der Floh, Öl auf Leinwand
De vlo, olie op doek
La pulga, óleo sobre lienzo
ca. 1720-1730
55 x 41 cm / 21.7 x 16.2 in.

Giovan Battista Piazzetta
(Venezia 1683 - 1754)
Assumption of the Virgin, oil on canvas
Mariä Himmelfahrt, Öl auf Leinwand
Maria-Hemelvaart, olie op doek
Asunción de la Virgen, óleo sobre lienzo
1735
517 x 245 cm / 203.7 x 96.5 in.

Francesco Guardi
(Venezia 1712 - 1793)

Reception by the Doge of Foreign Ambassadors in the Sala del Collegio, oil on canvas
Empfang der Botschafter in der "Sala del Collegio" im Dogenpalast, Öl auf Leinwand
Hoorzitting van de ambassadeurs in de Sala del Collegio in het palazzo Ducale, olie op doek
Audiencia de los embajadores en la sala del Colegio en el palacio Ducal, óleo sobre lienzo

1775-1780
67 x 101 cm / 26.4 x 39.8 in.

Canaletto
(Venezia 1697 - 1768)

Rialto Bridge, oil on canvas
Die Rialtobrücke, Öl auf Leinwand
De brug van Rialto, olie op doek
El puente de Rialto, óleo sobre lienzo

119 x 154 cm /
46.9 x 60.7 in.

▶ **Canaletto**
(Venezia 1697 - 1768)

The Molo, Seen from the San Marco Basin, oil on canvas
Ansicht vom Molo auf den Markusbecken, Öl auf Leinwand
Het Molo gezien vanuit het Bekken van San Marco, olie op doek
El Molo visto desde la cuenca de San Marcos, óleo sobre lienzo

ca. 1730
47 x 81 cm /
18.5 x 31.89 in.

Pompeo Batoni
(Lucca 1708 - Firenze 1787)
Portrait of Charles Joseph Crowle,
oil on canvas
Bildnis des Charles Joseph Crowle,
Öl auf Leinwand
Portret van Charles Joseph Crowle,
olie op doek
Retrato de Charles Joseph Crowle,
óleo sobre lienzo
1761-1762
248 x 172 cm / 97.7 x 67.8 in.

◀ **Francesco Guardi**
(Venezia 1712 - 1793)
*The Doge's Palace Seen from the San
Marco Basin*, oil on canvas
*Ansicht vom Markusbecken auf den
Dogenpalast*, Öl auf Leinwand
*Het Palazzo Ducale gezien vanuit het
Bekken van San Marco*, olie op doek
*El Palacio Ducal visto desde la cuenca
de San Marcos*, óleo sobre lienzo
1780-1790
42 x 68 cm / 16.5 x 26.8 in.

Giandomenico Tiepolo
(Venezia 1727 - 1804)

Carnival, oil on canvas
Karneval, Öl auf Leinwand
Carneval, olie op doek
Carnaval, óleo sobre lienzo

1754-1755
81 x 105 cm / 31.9 x 41.4 in.

European Painting

The European section comprises Spanish, Flemish and Dutch, German, and English works of art. The first French king to collect works of Spanish art was Louis XVI. Most of the artworks from the North European countries entered the Museum's collection during the 17th and 18th centuries. Thanks to acquisitions and donations, we can now admire the works of Spanish masters such as Murillo, Zurbarán, Velázquez and Ribera. The Flemish and Dutch sections have masterpieces by Rogier van der Weyden, Vermeer, Rembrandt, and Rubens. The German works include paintings by Dürer, Cranach and Holbein. English art is represented by works by Gainsborough, Constable and Turner.

Europäische Malerei

Die europäische Abteilung umfasst Werke spanischer, flämischer, holländischer, deutscher und englischer Kunst. Der erste Sammler spanischer Kunst war Ludwig XVI. Generell hält die Kunst der nordischen Länder im 17. und 18. Jahrhundert Einzug im Museum. Dank zahlreicher Erwerbungen und Schenkungen können wir heute im Louvre die Werke der großen Künstler der spanischen Malerei wie Murillo, Zurbarán, Velázquez und Ribera bewundern. Sehr beachtenswert sind auch die flämische und holländische Sektion, in der Meisterwerke von Rogier van der Weyden, Vermeer, Rembrandt und Rubens aufbewahrt werden. Unter den deutschen Gemälden finden sich Werke von Dürer, Cranach und Holbein. Die englische Malerei ist vertreten durch Werke von Gainsborough, Constable und Turner.

Europese schilderkunst

Het Europese departement bevat Spaanse, Vlaamse, Nederlandse, Duitse en Engelse kunstwerken. Lodewijk XVI was de eerste die met het verzamelen van Spaanse kunstwerken begon. De kunst van de noordelijke landen bereikte het museum doorgaans in de zeventiende en de achttiende eeuw. Dankzij aankopen en schenkingen kunnen we in het Louvre vandaag de werken van de grote meesters van de Spaanse schilderkunst zien, zoals Murillo, Zurbarán, Velázquez en Ribera. Bijzonder interessant zijn ook de Vlaamse en Nederlandse afdelingen met meesterwerken van Rogier van der Weyden, Vermeer, Rembrandt en Rubens. Bij de Duitsers vinden we werken van Dürer, Cranach en Holbein. De Engelse kunst toont werken van Gainsborough, Constable en Turner.

Pintura europea

La sección europea comprende obras de arte español, flamenco y holandés, alemán e inglés. El primero que coleccionó obras de arte español fue Luis XVI. En general el arte de los países del Norte entra en el Museo en los siglos XVII y XVIII. Gracias a adquisiciones y donaciones, podemos hoy admirar en el Louvre las obras de los grandes de la pintura española, como Murillo, Zurbarán, Velázquez y Ribera. Muy notables son las secciones flamencas y holandesas que conservan obras maestras de Rogier van der Weyden, Vermeer, Rembrandt, Rubens. Entre los alemanes, se indican obras de Dürer, Cranach y Holbein. El arte inglés está testimoniado por obras de Gainsborough, Constable y Turner.

Jaime Huguet
(Valls 1412 - Barcelona 1492)
Flagellation of Christ, oil on panel
Die Geißelung Christi, Öl auf Holztafel
Geseling van Christus, olie op paneel
Flagelación de Cristo, óleo sobre tabla
1455-1460
102 x 210 cm / 40.1 x 82.7 in.

Bernardo Martorell
(? - Barcelona 1452)
Flagellation of Saint George, oil on panel
Die Geißelung des Heiligen Georg, Öl auf Holztafel
Geseling van de heilige George, olie op paneel
Flagelación de San Jorge, óleo sobre tabla
ca. 1435
107 x 53 cm / 42.1 x 20.8 in.

Maestro de San Ildefonso
(active in Castile at the end
of the 15th century)
Vestition of Saint Ildephonsus, oil on panel
Einkleidung des Heiligen Ildefonso,
Öl auf Holztafel
Inkleding van de heilige Ildefonso,
olie op paneel
Imposición de la casulla a San Ildefonso,
óleo sobre tabla
1490-1500
230 x 167 cm / 90.6 x 65.7 in.

El Greco
(Candia 1541 - Toledo 1614)
Christ on the Cross Adored by Donors, oil on canvas
Christus am Kreuz mit zwei Stiftern, Öl auf Leinwand
Gekruisigde Christus met twee schenkers, olie op doek
Cristo crucificado con dos donantes, óleo sobre lienzo
1585-1590
248 x 180 cm / 97.7 x 70.9 in.

El Greco
(Candia 1541 - Toledo 1614)
Saint Louis, King of France, with a Page,
oil on canvas
*Ludwig der Heilige, König von Frankreich,
und ein Page*, Öl auf Leinwand
*De heilige Lodewijk, koning van Frankrijk,
en een page*, olie op doek
San Luis, rey de Francia, y un paje,
óleo sobre lienzo
1585-1590
120 x 96 cm / 47.3 x 37.8 in.

▶ **Francisco de Zurbarán**
(Fuente de Cantos 1598 - Madrid 1664)
Saint Bonaventure at the Council of Lyons,
oil on canvas
Der Heilige Bonaventura beim Konzil von Lyon,
Öl auf Leinwand
De heilige Bonaventura op het concilie van Lyon,
olie op doek
San Buenaventura en el concilio de Lión,
óleo sobre lienzo
1629
250 x 225 cm / 98.5 x 88.6 in.

Francisco de Zurbarán
(Fuente de Cantos 1598 - Madrid 1664)

Lying-in-State of Saint Bonaventure, oil on canvas
Aufbahrung des Leichnams des Heiligen Bonaventura, Öl auf Leinwand
Tentoonstelling van het lichaam van de heilige Bonaventura, olie op doek
Exposición del cuerpo de San Buenaventura, óleo sobre lienzo

1629
245 x 220 cm / 96.5 x 86.6 in.

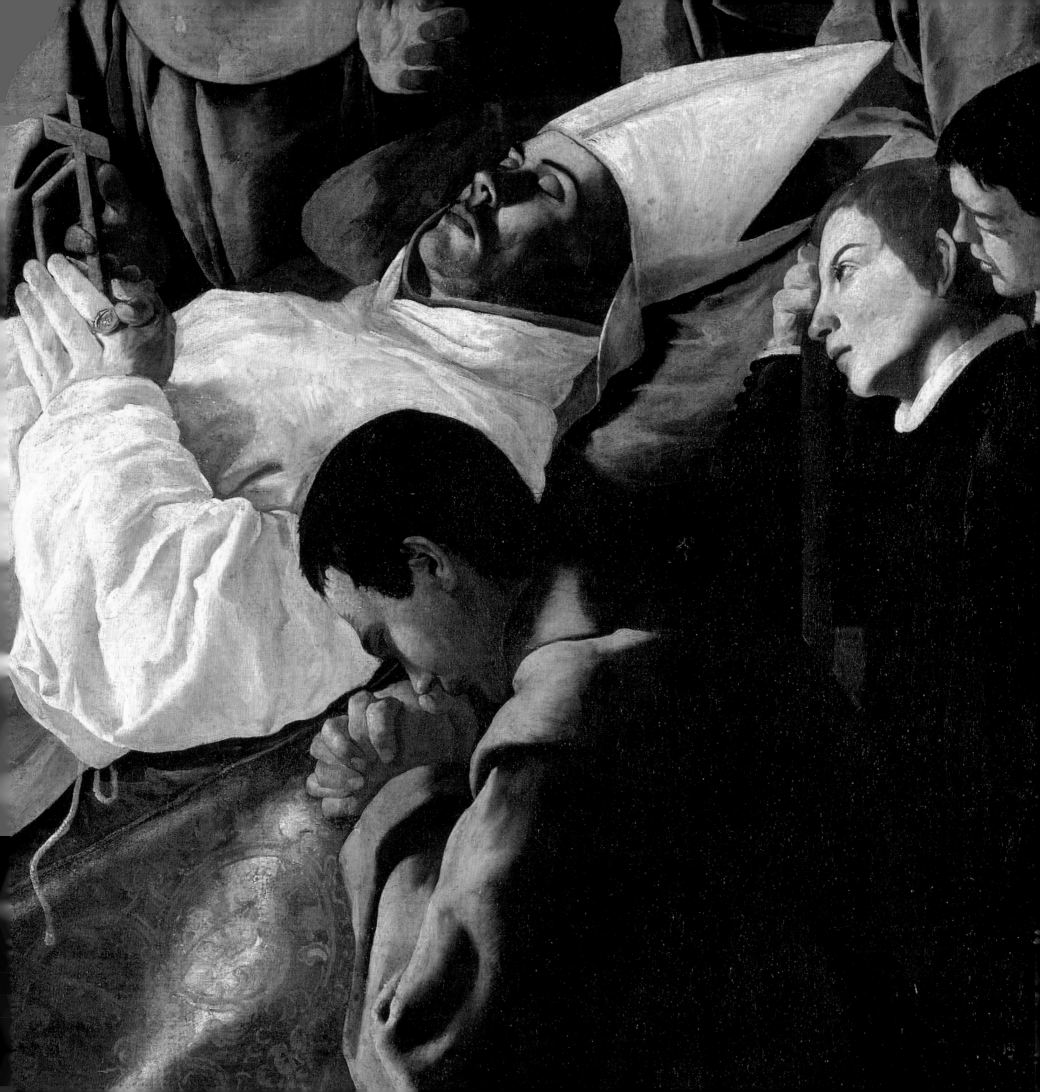

José de Ribera
(Játiva 1591 - Napoli 1652)
Boy with the Club Foot, oil on canvas
Der Klumpfuß, Öl auf Leinwand
De kreupele, olie op doek
El pie varo, óleo sobre lienzo
1642
164 x 94 cm / 64.6 x 37 in.

Francisco Herrera el Viejo
(Sevilla *ca*. 1585 - Madrid 1654)
Saint Basil Dictating his Rule, oil on canvas
Der Heilige Basilius verfasst seine Regel,
Öl auf Leinwand
De heilige Basilius dicteert zijn regel, olie op doek
San Basilio dictando su doctrina, óleo sobre lienzo
1637
243 x 194 cm / 95.7 x 76.4 in.

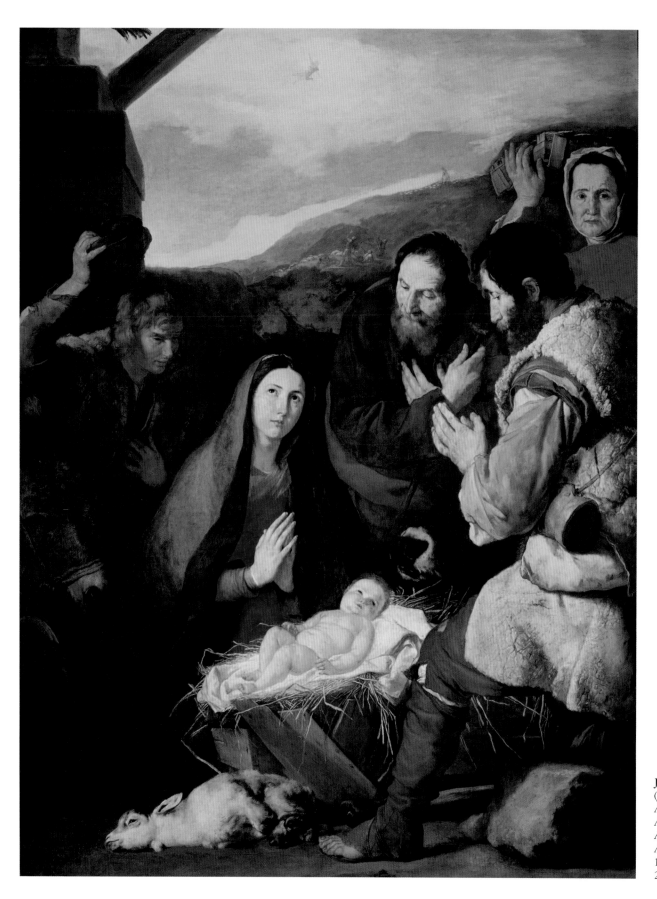

José de Ribera
(Játiva 1591 - Napoli 1652)
Adoration of the Shepherds, oil on canvas
Anbetung der Hirten, Öl auf Leinwand
Aanbidding van de herders, olie op doek
Adoración de los pastores, óleo sobre lienzo
1650
239 x 181 cm / 94.1 x 71.3 in.

Diego Velázquez
(Sevilla 1599 - Madrid 1660)
Mariana of Austria, Queen of Spain, oil on canvas
Bildnis der Königin Marianne von Österreich, Öl auf Leinwand
Portret van de koningin Marianna van Oostenrijk, olie op doek
Retrato de la reina Mariana de Austria, óleo sobre lienzo
ca. 1652
209 x 125 cm / 82.3 x 49.2 in.

Diego Velázquez
(Sevilla 1599 - Madrid 1660)
Infanta Margarita, oil on canvas
Bildnis der Infantin Maria Margarita,
Öl auf Leinwand
Portret van de infante Maria Margherita,
olie op doek
Retrato de la infanta María Margarita,
óleo sobre lienzo
1653
70 x 58 cm / 27.5 x 22.8 in.

Juan Carreño de Miranda
(Avilés 1614 - Madrid 1685)
Mass of Saint John of Matha,
oil on canvas
*Die Gründung des Trinitarier-
Ordens*, Öl auf Leinwand
*Mis voor de oprichting
van de Orde der Trinitairen*, olie
op doek
*La misa de fundación
de la Orden de los Trinitarios*,
óleo sobre lienzo
1666
500 x 315 cm / 197 x 124 in.

Bartolomé Esteban Murillo
(Sevilla 1618 - 1682)

Angels' Kitchen, oil on canvas
Die Engelsküche, Öl auf Leinwand
De keuken van de engelen, olie op doek
La cocina de los ángeles, óleo sobre lienzo

1646
180 x 450 cm / 70. 2 x 177.2 in.

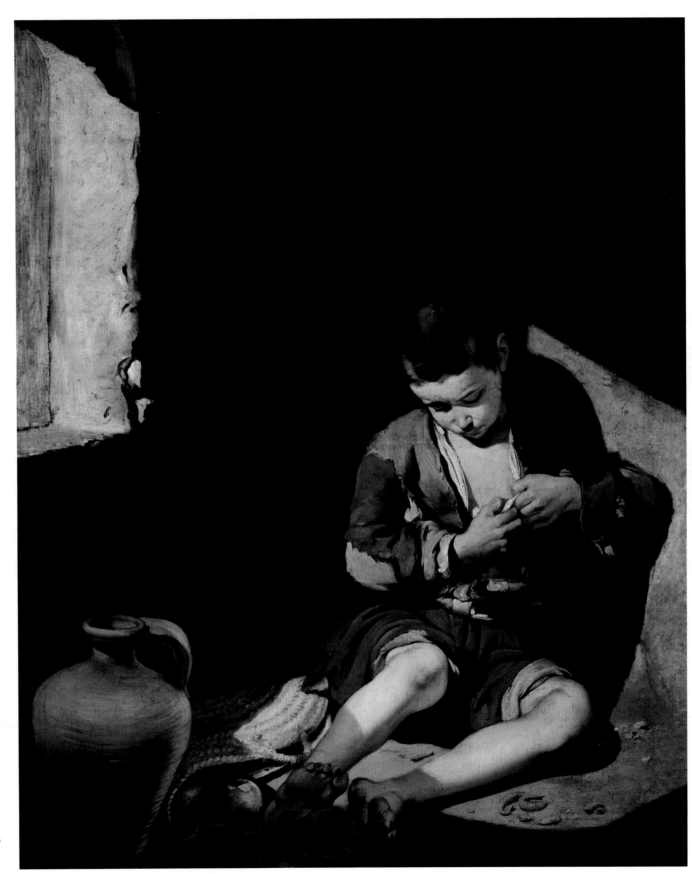

Bartolomé Esteban Murillo
(Sevilla 1618 - 1682)
Young Beggar, oil on canvas
Bettelnder Knabe, Öl auf Leinwand
Kind dat zich ontvlooit, olie op doek
El joven mendigo, óleo sobre lienzo
ca. 1645-1650
134 x 110 cm / 52.7 x 43.3 in.

▶ **Bartolomé Esteban Murillo**
(Sevilla 1618 - 1682)
Birth of the Virgin, oil on canvas
Die Geburt der Maria, Öl auf Leinwand
Geboorte van de Maagd, olie op doek
El nacimiento de la Virgen, óleo sobre lienzo
1661
179 x 349 cm / 70.5 x 137 in.

Francisco José de Goya y Lucientes
(Fuendetodos 1746 - Bordeaux 1828)
Ferdinand Guillemardet, oil on canvas
Bildnis des Ferdinand Guillemardet,
Öl auf Leinwand
Portret van Ferdinand Guillemardet,
olie op doek
Retrato de Ferdinand Guillemardet,
óleo sobre lienzo
1798-1799
186 x 124 cm / 73.2 x 48.8 in.

Francisco José de Goya y Lucientes
(Fuendetodos 1746 - Bordeaux 1828)

Portrait of a Lady with Fan, oil on canvas
Die Frau mit dem Fächer, Öl auf Leinwand
Vrouw met waaier, olie op doek
La mujer del abanico, óleo sobre lienzo

1805-1810
103 x 84 cm / 40.8 x 33 in.

Francisco José de Goya y Lucientes
(Fuendetodos 1746 - Bordeaux 1828)
Countess of Carpio, Marquesa De La Solana, oil on canvas
Bildnis der Gräfin von Carpio, Markgräfin de la Solana,
Öl auf Leinwand
Portret van de gravin van Carpio, markiezin van la Solana,
olie op doek
Retrato de la condesa del Carpio, marquesa de la Solana,
óleo sobre lienzo
1794-1795
181 x 122 cm / 71.3 x 48 in.

Albrecht Dürer
(Nürnberg 1471 - 1528)
Self-Portrait with Eryngium Flower,
oil on parchment transferred to canvas
Selbstportrait mit Distel, Öl auf
Pergament, auf Leinwand übertragen
Zelfportret met distel,
olie op perkament, overgebracht op doek
Autorretrato con flor de cardo, óleo sobre
pergamino trasportado sobre lienzo
1493
56 x 45 cm / 22 x 17 in.

Lucas Cranach der Ältere
(Kronach 1472 - Weimar 1553)
Portrait of a Young Girl
(possibly Magdalen Luther)
Bildnis eines jungen Mädchens
(vermutlich Magdalena Luther)
Vermoedelijk portret van Magdalena
Luther
Posible retrato de Magdalena Lutero
41 x 26 cm / 16 x 10 in.

Lucas Cranach der Ältere
(Kronach 1472 - Weimar 1553)
Venus, oil on panel
Venus, Öl auf Holztafel
Venus, olie op paneel
Venus, óleo sobre tabla
1529
38 x 25 cm / 14 x 9 in.

Hans Holbein der Jüngere
(Augsburg 1497 - London 1543)
Anne of Cleves, parchment mounted on canvas
Bildnis der Anna von Cleve, Pergament auf Leinwand aufgezogen
Portret van Anna van Cleves, Op doek gemonteerd perkament
Retrato de Ana de Cléveris, pergamino montado sobre lienzo
1539
65 x 48 cm / 25.6 x 18.9 in.

Hans Holbein der Jüngere
(Augsburg 1497 - London 1543)
Erasmus, oil on panel
Bildnis des Erasmus von Rotterdam,
Öl auf Holztafel
Portret van Erasmus van Rotterdam,
olie op paneel
Retrato de Erasmo de Rotterdam,
óleo sobre tabla
1523
43 x 33 cm / 16.9 x 13 in.

Hans Holbein der Jüngere
(Augsburg 1497 - London 1543)

William Warham, oil on panel
Bildnis des William Warham, Öl auf Holztafel
Portret van William Warham, olie op paneel
Retrato de William Warham, óleo sobre tabla

1527
cm 82 x 66 / 32.3 x 26 in.

Caspar David Friedrich
(Greifswald 1774 - Dresden 1840)

Tree of Crows, oil on canvas
Der Rabenbaum, Öl auf Leinwand
Boom met kraaien, olie op doek
Árbol de cuervos, óleo sobre lienzo

ca. 1822
59 x 73 cm / 23.2 x 28.7 in.

Dirk Bouts
(Haarlem *ca.* 1415/1420 -
Leuven 1475)
Lamentation of Christ, oil on panel
Die Beweinung Christi,
Öl auf Holztafel
Droefenis over de dode Christus,
olie op paneel
Lamentación sobre Cristo muerto,
óleo sobre tabla
ca. 1460
69 x 49 cm / 27,1 x 19.3 in.

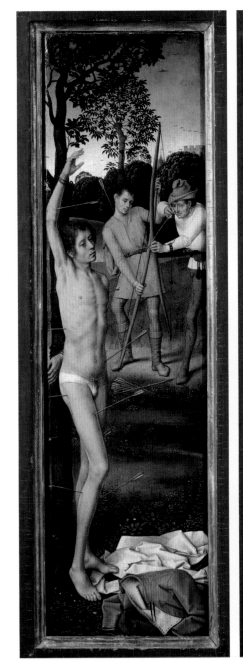

Hans Memling
(Seligenstadt ca. 1435 - Brugge 1494)

Resurrection Triptych, oil on panel
Auferstehungstriptychon, Öl auf Holztafel
Triptiek van de Opstanding, olie op paneel
Tríptico de la Resurrección, óleo sobre tabla

ca. 1490
62 x 45 cm / 24.4 x 17.7 in. (central panel) and 62 x 19 cm / 24.4 x 7.5 in. (each lateral compartment)

Hans Memling   *Virgin and Child with Saints James and Dominic*, oil on panel   1488-1490
(Seligenstadt ca. 1435 - Brugge 1494)   *Maria mit dem Kind und den Heiligen Jakobus und Dominikus*, Öl auf Holztafel   130 x 160 cm / 51.2 x 63 in.
   Madonna met Kind en de heiligen Jacomo en Domenico, olie op paneel
   Virgen con el Niño entre Santiago y Santo Domingo, óleo sobre tabla

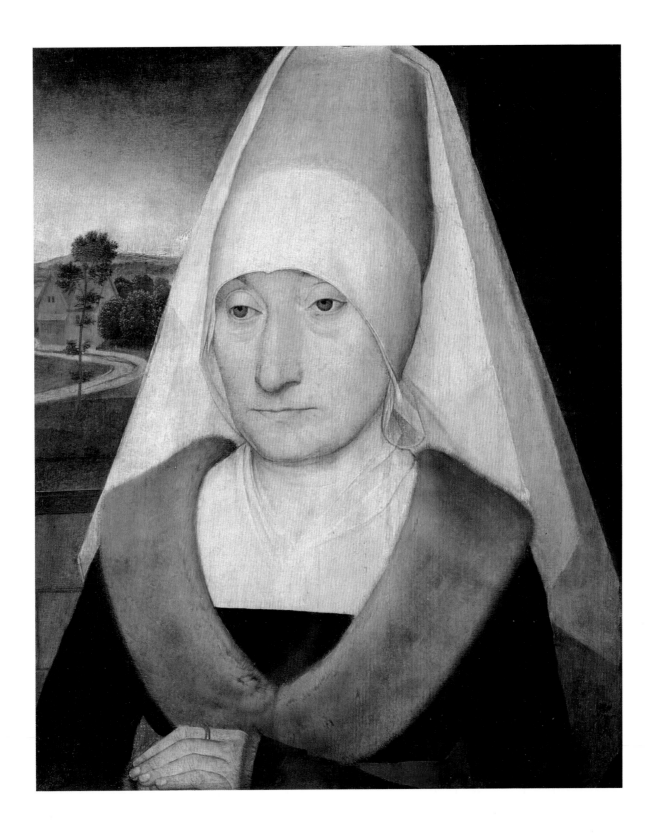

Hans Memling
(Seligenstadt *ca.* 1435 - Brugge 1494)

Portrait of an Elderly Woman, oil on panel
Bildnis einer alten Frau, Öl auf Holztafel
Portret van oude vrouw, olie op paneel
Retrato de anciana, óleo sobre tabla

ca. 1472-1475
137.7 cm x 11.4 in.

Jheronimus Bosch
('s-Hertogenbosch *ca.* 1450 - 1516)
Ship of Fools, oil on panel
Das Narrenschiff, Öl auf Holztafel
Het gekkenschip, olie op paneel
La nave de los locos, óleo sobre tabla
ca. 1494
58 x 33 cm / 22.9 x 13 in.

Gerard **DAVID** vers 1460 à 1523 (École flam...
La Vierge et l'Enfant Jésus
entre le donateur Jan de Sedano et sa...

Gerard David
(Ouwater 1450/1460 - Brugge 1523)
Triptych of the Sedano Family
Triptychon der Familie Sedano
Triptiek van de familie Sedano
Tríptico de la familia Sedano
ca. 1495

Joachim Patinir
(Bouvignes *ca*.1485 - Antwerpen 1524)

Saint Jerome in the Desert, oil on panel
Der Heilige Hieronymus in der Wüste, Öl auf Holztafel
De heilige Hiëronymus in de woestijn, olie op paneel
San Jerónimo en el desierto, óleo sobre tabla

ca. 1515-1520
78 x 137 cm / 30.7 x 53.9 in.

Mabuse
(Maubeuge *ca.* 1478 - Middelburg 1532)

Diptych of Jean Carondelet, oil on panel
Diptychon des Kanzlers Jean Carondelet, Öl auf Holztafel
Diptiek Carondelet, olie op paneel
Díptico Carondelet, óleo sobre tabla

1517
42 x 27 cm / 16.5 x 10.6 in. (each panel)

Abraham Bloemaert
(Gorinchem 1566 - Utrecht 1651)
Allegory of Winter, oil on panel
Allegorie des Winters, Öl auf Holztafel
Allegorie van de winter, olie op paneel
Alegoría del invierno, óleo sobre tabla
1625-1630
70 x 57 cm / 27.5 x 22.4 in.

◄ **Pieter Bruegel de Oude**
(Breda *ca.* 1525-1530 - Bruxelles 1569)
Beggars, oil on panel
Die Bettler (Die Krüppel), Öl auf Holztafel
De bedelaars, olie op paneel
Los mendigos, óleo sobre tabla
1568
185 x 215 cm / 72.9 x 84.7 in.

Jan Bruegel de Oude
(Bruxelles 1568 - Antwerpen 1625)
Battle of Issus, oil on panel
Die Schlacht von Issos, Öl auf Holztafel
De slag bij Issus, olie op paneel
La batalla de Isso, óleo sobre tabla
1602
80 x 136 cm / 31.5 x 53.5 in.

Frans Hals
(Antwerpen *ca.* 1583 - Haarlem 1666)
Buffoon Playing a Lute, oil on panel
Spaßvogel mit Laute, Öl auf Holztafel
Clown met luit, olie op paneel
Bufón tocando el laúd, óleo sobre tabla
ca. 1623-1624
70 x 62 cm / 27.5 x 24.4 in.

Frans Hals
(Antwerpen *ca.* 1583 -
Haarlem 1666)
Gypsy Girl, oil on panel
La Bohémienne, Öl auf Holztafel
De Bohémienne, olie op paneel
La Bohémienne, óleo sobre tabla
1628-1630
58 x 52 cm / 22.8 x 20.4 in.

Pieter Jansz. Saenredam
(Assendelft 1597 - Haarlem
1665)
Interior of Saint Bavo, Haarlem
Innenansicht der St.-Bavo-Kirche
in Haarlem
Interieur van de Sint Bavokerk
in Haarlem
Interior de la iglesia de San Bavone
en Haarlem
1630
41 x 37 cm / 16.1 x 14.5 in.

▶ **Gerard van Honthorst**
(Utrecht 1590 - 1656)
Concert on a balcony, oil on canvas
Das Konzert, Öl auf Leinwand
Het concert, olie op doek
El concierto, óleo sobre lienzo
1624
168 x 178 cm / 66.9 x 70.1 in.

Jan Davidsz. de Heem
(Utrecht 1606 - Antwerpen 1683/1684)

Still-life, oil on canvas
Stillleben, Öl auf Leinwand
Stilleven, olie op doek
Naturaleza muerta, óleo sobre lienzo

1640
149 x 203 cm / 58.7 x 79.9 in.

Rembrandt Harmenszoon van Rijn
(Leiden 1606 - Amsterdam 1669)

Bathsheba Reading King David's Letter, oil on canvas
Bathseba mit König Davids Brief, Öl auf Leinwand
Betsabee met de brief van David, olie op doek
Betsabé con la carta de David, óleo sobre lienzo

1654
142 x 142 cm / 55.9 x 55.9 in.

Rembrandt Harmenszoon van Rijn
(Leiden 1606 - Amsterdam 1669)
Self-portrait of the Artist at his Easel, oil on canvas
Selbstbildnis vor der Staffelei, Öl auf Leinwand
Zelfportret met schildersezel, olie op doek
Autorretrato con caballete, óleo sobre lienzo
1660
111 x 85 cm / 43.7 x 33.5 in.

▶ **Rembrandt Harmenszoon van Rijn**
(Leiden 1606 - Amsterdam 1669)
Philosopher in Meditation, oil on panel
Der Philosoph, Öl auf Holztafel
Mediterende filosoof, olie op paneel
Filósofo en la meditación, óleo sobre tabla
1632
28 x 34 cm / 11 x 13.4 in.

Rembrandt Harmenszoon van Rijn
(Leiden 1606 - Amsterdam 1669)
Slaughtered Ox, oil on panel
Geschlachteter Ochse, Öl auf Holztafel
Geslachte os, olie op paneel
El buey desollado, óleo sobre tabla
1655
94 x 69 cm / 37 x 27.2 in.

Rembrandt Harmenszoon van Rijn
(Leiden 1606 - Amsterdam 1669)

Landscape with a Castle, oil on panel
Landschaft mit Schloss, Öl auf Holztafel
Landschap met kasteel, olie op paneel
Paisaje con castillo, óleo sobre tabla

ca. 1640-1642
44 x 60 cm / 17.3 x 23.6 in.

Rembrandt Harmenszoon van Rijn *Supper at Emmaus*, oil on panel 1648
(Leiden 1606 - Amsterdam 1669) *Abendmahl in Emmaus*, Öl auf Holztafel 68 x 65 cm / 26.8 x 25.6 in.
Maaltijd te Emmaüs, olie op paneel
Cena de Emaús, óleo sobre tabla

Adriaen van Ostade
(Haarlem 1610 - 1685)
Reading the Gazette
Beim Zeitunglesen
Lezen van de gazet
La lectura de la gaceta
1653
25 x 20 cm / 9.9 x 7.9 in.

Adriaen van Ostade   *Family portrait*, oil on panel   1654
(Haarlem 1610 - 1685)   *Familienbildnis*, Öl auf Holztafel   70 x 88 cm / 27.6 x 34.7 in.
                          Familieportret, olie op paneel
                          Retrato de familia, óleo sobre tabla

Gerrit Dou
(Leiden 1613 - 1675)
Village Grocer
Der Laden des Lebensmittelhändlers
De kruidenierswinkel
La tienda de especies
1647
38 x 29 cm / 14.8 x 11.2 in.

▶ **Gerrit Dou**
(Leiden 1613 - 1675)
Dropsical Woman, oil on panel
Die wassersüchtige Frau, Öl auf Holztafel
De zieke, olie op paneel
La mujer enferma, óleo sobre tabla
1663
86 x 68 cm / 33.8 x 26.7 in.

Gerard Ter Borch de Jonge   *Concert*, oil on panel   *ca*. 1657
(Zwolle 1617 - Deventer 1681)   *Das Konzert*, Öl auf Holztafel   47 x 44 cm / 18.5 x 17.3 in.
                                   Het concert, olie op paneel
                                   El concierto, óleo sobre tabla

Johannes Vermeer
(Delft 1632 - 1675)
The Lacemaker, oil on canvas
Die Spitzenklöpperin, Öl auf Leinwand
De kantwerkster, olie op doek
La encajera, óleo sobre lienzo
1669-1670
24 x 21 cm / 9.5 x 8.3 in.

Johannes Vermeer
(Delft 1632 - 1675)
The Astronomer, oil on canvas
Der Astronom, Öl auf Leinwand
De astronoom, olie op doek
El astrónomo, óleo sobre lienzo
ca. 1668
51 x 45 cm / 20 x 17 in.

Pieter de Hooch
(Rotterdam 1629 - Amsterdam 1684)
Woman Drinking with Soldiers,
oil on canvas
Die Trinkende, Öl auf Leinwand
De drinkster, olie op doek
La bebedora, óleo sobre lienzo
1658
69 x 60 cm / 27.2 x 23.6 in.

Albert Cuyp *Landscape near Rhenen*, oil on canvas 1650-1655
(Dordrecht 1620 - 1691) *Landschaft bei Rhenen*, Öl auf Leinwand 170 x 229 cm / 67 x 90.2 in.
Landschap in de buurt van Rhenen, olie op doek
Paisaje cerca de Rhenen, óleo sobre lienzo

Isaac Jansz. van Ostade   *Frozen Canal with Couple Skating*, oil on canvas   *ca.* 1644-1647
(Haarlem 1621 - 1649)   *Gefrorener Kanal mit Schlittschuhläufern*, Öl auf Leinwand   101 x 150 cm / 39.8 x 59.1 in.
   Bevroren kanaal met schaatsend paar, olie op doek
   Patinando sobre la nieve, óleo sobre lienzo

Abraham Mignon
(Frankfurt am Main 1637 - Utrecht 1679)

Finch's Nest
Stillleben mit Fischen und Finkennest
Nest met vinkjes
Nido de pinzones

82 x 100 cm / 32.3 x 39.4 in.

Samuel van Hoogstraten
(Dordrecht 1627 - 1678)
View of an Interior or Les
pantoufles
Innenansicht oder Les pantoufles
Zicht op een interieur ou Les
pantoufles
Vista de un interior o Les
pantoufles
1658
103 x 70 cm / 40.6 x 27.6 in.

Gabriël Metsu
(Leiden 1629 - Amsterdam 1667)
Vegetable Market in Amsterdam
Gemüsemarkt in Amsterdam
Groentemarkt in Amsterdam
Mercado de verdura en Ámsterdam
ca. 1660-1661
97 x 84 cm / 38.2 x 33.1 in.

Jan van Eyck
(Maaseyck *ca.* 1390/1395 - Brugge 1441)

Rolin Madonna, oil on panel
Die Madonna des Kanzlers Rolin, Öl auf Holztafel
Madonna van kanselier Rolin, olie op paneel
La Virgen del canciller Rolin, óleo sobre tabla

ca. 1435
66 x 62 cm / 26 x 24.4 in.

Rogier van der Weyden
(Tournai *ca.* 1399 - Bruxelles 1464)

Annunciation, oil on panel
Die Verkündigung an Maria, Öl auf Holztafel
Annunciatie, olie op paneel
Anunciación, óleo sobre tabla

ca. 1440
86 x 93 cm / 33.9 x 36.6 in.

Rogier van der Weyden
(Tournai *ca.* 1399 - Bruxelles 1464)

Braque Triptych, oil on panel *ca.* 1452
Triptychon der Familie Braque, Öl auf Holztafel
Triptiek van de familie Braque, olie op paneel
Tríptico de la familia Braque, óleo sobre tabla

Rogier van der Weyden (copy from)
(Tournai *ca.* 1399 - Bruxelles 1464)
Philip the Good
Bildnis Philipps des Guten
Portret van Philips de Goede
Retrato de Felipe el Bueno
34 x 25 cm / 13.4 x 9.9 in.

Rogier van der Weyden
(Tournai *ca.* 1399 - Bruxelles 1464)
John I, Duke of Cleves ("Le Belliqueux")
Bildnis des Herzogs Johann I. von Kleve,
genannt der Kriegerische
Portret van Johannes I, genaamd
"de strijdlustige", hertog van Cleves
Retrato de Juan I, llamado el Guerrero,
duque de Cléveris
post 1451
49 x 31 cm / 19.3 x 12.2 in.

Quentin Metsys
(Leuven 1466 - Antwerpen 1530)

Moneylender and his Wife, oil on panel
Der Geldwechsler und seine Frau, Öl auf Holztafel
De geldwisselaar en zijn vrouw, olie op paneel
El cambista y su mujer, óleo sobre tabla

1514
71 x 68 cm / 28 x 26.8 in.

Quentin Metsys   *Pietà*   1515-1530
(Leuven 1466 - Antwerpen 1530)   *Pietà*   36 x 50 cm / 14.2 x 19.7 in.
                            Pietà
                            La Piedad

Paul Bril *Stag Hunt* *ca.* 1590-1595
(Antwerpen 1554 - Roma 1626) *Hirschjagd* 105 x 137 cm / 41.4 x 54 in.
  Jacht op het hert
  La caza al ciervo

Frans Pourbus de Jongere
(Antwerpen 1569 - Paris 1622)
Maria de' Medici
Bildnis der Maria de' Medici
Portret van Maria de' Medici
Retrato de María de Médicis
1609-1610
307 x 186 cm / 121 x 73.3 in.

Ambrosius Bosschaert de Oude
(Antwerpen 1573 - Den Haag 1621)

Vase with Flowers, oil on copper
Blumenvase, Öl auf Kupfer
Vaas met bloemen, olie op koper
Jarrón de flores, óleo sobre cobre

ca. 1619-1620
23 x 17 cm / 9.1 x 6.7 in.

Frans Snyders (copy from) *Fishmongers* 210 x 342 cm / 82.7 x 134.7 in.
(Antwerpen 1579 - 1657) *Fischverkäufer*
Vishandelaars
Pescadería

▶ **Peter Paul Rubens** *Apotheosis of Henry IV and the Proclamation of the Regency of Marie de Médicis*, oil on panel 1622-1625
(Siegen 1577 - Antwerpen 1640) *Apotheose Heinrichs IV. und Proklamation der Regentschaft Maria de' Medicis*, Öl auf Holztafel 394 x 727 cm / 155.2 x 286.4 in.
Apotheose van Hendrik IV en proclamatie van het regentschap van Maria de' Medici, olie op paneel
Apoteosis de Enrique IV y proclamación de la regencia de María de Médicis, óleo sobre tabla

Peter Paul Rubens
(Siegen 1577 - Antwerpen 1640)

Village Fête, oil on panel
Bauernkirmes (Flämische Kirmes), Öl auf Holztafel
De grote kermis, olie op paneel
La kermés, óleo sobre tabla

ca. 1635-1638
149 x 261 cm / 58.7 x 102.8 in.

Peter Paul Rubens
(Siegen 1577 - Antwerpen 1640)
Hélène Fourment with a Carriage,
oil on panel
Bildnis der Hélène Fourment,
Öl auf Holztafel
Portret van Hélène Fourment,
olie op paneel
Retrato de Hélène Fourment,
óleo sobre tabla
ca. 1639
195 x 132 cm / 76.8 x 52 in.

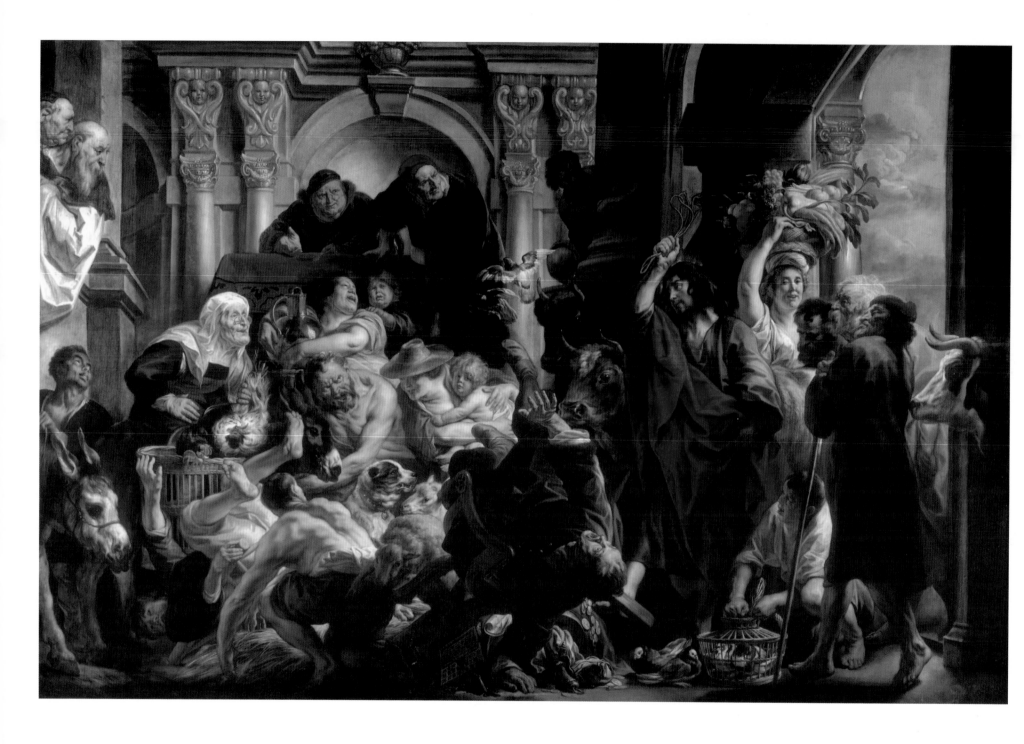

Jacob Jordaens
(Antwerpen 1593 - 1678)

Christ Driving the Merchants from the Temple, oil on canvas
Jesus vertreibt die Händler aus dem Tempel, Öl auf Leinwand
Christus verjaagt de koopmannen uit de tempel, olie op doek
Cristo expulsa a los mercaderes en el templo, óleo sobre lienzo

ca. 1650
288 x 436 cm / 113.5 x 171.8 in.

Jacob Jordaens
(Antwerpen 1593 - 1678)
Four Evangelists
Die vier Evangelisten
De vier evangelisten
Los cuatro Evangelistas
ca. 1625-1630
134 x 118 cm / 52.8 x 46.5 in.

Antoon van Dyck
(Antwerpen 1599 - London 1641)
Virgin and Child with Donors, oil on canvas
Maria mit dem Kind und zwei Stiftern, Öl auf Leinwand
Madonna met Kind en twee schenkers, olie op doek
Virgen con el Niño y dos donantes, óleo sobre lienzo
ca. 1630
250 x 191 cm / 98.5 x 75.3 in.

Antoon van Dyck
(Antwerpen 1599 - London 1641)
King Charles I, oil on canvas
Bildnis von Karl I., König von England, Öl auf Leinwand
Portret van Karel I koning van Engeland, olie op doek
Retrato de Carlos I, rey de Inglaterra, óleo sobre lienzo
ca. 1635
266 x 207 cm / 104.8 x 81.6 in.

Antoon van Dyck
(Antwerpen 1599 - London 1641)
Portrait of a Genoese Noblewoman
Bildnis einer genuesischen Edelfrau
Portret van Genuaanse edelvrouw
Retrato de mujer noble genovesa
1621-1627
239 x 170 cm / 94.2 x 67 in.

Antoon van Dyck
(Antwerpen 1599 -
London 1641)
Rinaldo and Armida,
oil on canvas
Rinaldo und Armida,
Öl auf Leinwand
Rinaldo en Armida,
olie op doek
Rinaldo y Armida,
óleo sobre lienzo
ca. 1629-1632
133 x 109 cm /
52.4 x 42.9 in.

Antoon van Dyck
(Antwerpen 1599 - London 1641)
Venus Asking Vulcan for Arms for Aeneas,
oil on canvas
Venus bittet Vulkan um Waffen für Aeneas,
Öl auf Leinwand
Venus vraag Vulcanus om wapens voor Eneas,
olie op doek
Venus recibe de Vulcano las armas de Eneas,
óleo sobre lienzo
ca. 1630-1632
220 x 145 cm / 86.7 x 57.1 in.

Thomas Gainsborough
(Sudbury 1727 - London 1788)
Lady Alston, oil on canvas
Bildnis der Lady Alston,
Öl auf Leinwand
Portret van Lady Alston, olie op doek
Retrato de Lady Alston, óleo sobre lienzo
1760-1765
228 x 166 cm / 89.8 x 65.4 in.

Joshua Reynolds
(Plympton 1723 - London 1792)
Master Hare, oil on canvas
Master Hare, Öl auf Leinwand
Master Hare, olie op doek
Master Hare, óleo sobre lienzo
1788-1789
77 x 63 cm / 30.3 x 24.8 in.

Thomas Gainsborough   *Conversation in a Park*, oil on canvas   1746-1747
(Sudbury 1727 - London 1788)   *Gespräch im Park*, Öl auf Leinwand   73 x 68 cm / 28.8 x 26.8 in.
     Conversatie in het park, olie op doek
     Conversación en el parque, óleo sobre lienzo

Thomas Lawrence
(Bristol 1769 - London 1830)
Mr and Mrs John Julius Angerstein, oil on canvas
Bildnis von John Julius Angerstein und Frau, Öl auf Leinwand
Mr en Mrs John Julius Angerstein, olie op doek
Mr y Mrs John Julius Angerstein, óleo sobre lienzo
1792
252 x 160 cm / 99.3 x 63 in.

John Constable
(East Bergholt 1776 - London 1837)

View of Salisbury, oil on canvas
Ansicht von Salisbury, Öl auf Leinwand
Zicht op Salisbury, olie op doek
Vista de Salisbury, óleo sobre lienzo

ca. 1820
36 x 52 cm / 14.2 x 20.5 in.

Joseph Mallord William Turner
(East Bergholt 1775 - London 1851)

Landscape with a River and a Bay in the Distance, oil on canvas
Landschaft mit Fluss und Bucht in der Ferne, Öl auf Leinwand
Landschap met rivier en baai op de achtergrond, olie op doek
Paisaje con río y bahía en el fondo, óleo sobre lienzo

ca. 1845
93 x 123 cm / 36.6 x 48.5 in.

Biographies
Biografien
Biografieën
Biografías

Antonio Canova
(Possagno, Treviso 1757 - Venezia 1822)

1768 He enters the workshop of Giuseppe Bernardi and moves with him to Venice
1775 Giovanni Falier, his first patron, commissions *Orpheus* and *Eurydice* (Museo Correr, Venezia)
1779 He travels to Rome. He stays in Bologna and Florence. Ambassador Girolamo Zulian becomes his new patron
1781-1783 *Theseus and the Minotaur* (Victoria & Albert Museum, London)
1798 He returns to Possagno, then travels to Vienna, Prague, Dresden, Berlin, and Munich
1798-1805 *Funeral monument for Maria Cristina of Austria* (Augustinerkirche, Wien)
1815 As head of the delegation of the Holy See at the Congress of Paris, he obtains the restitution of artworks appropriated by the French after the treaty of Tolentino
1819 *The Penitent Magdalene* (Gipsoteca, Possagno)

1768 Er beginnt in der Werkstatt des Bildhauers Giuseppe Bernardi, mit dem er nach Venedig zieht
1775 Er führt für Giovanni Falier, seinen ersten Förderer, die *Eurydike* und den *Orpheus* aus (Museo Correr, Venezia)
1779 Er geht mit dem geld, das er mit *Dädalus und Ikarus* (Museo Correr, Venezia) verdient hat, nach Rom. Er hält in Bologna und Florenz an. Der Botschafter Girolamo Zulian wird sein neuer Förderer
1781-1783 *Theseus auf Minotaurus* (Victoria & Albert Museum, London)
1798 Er kehrt nach Possagno zurück und reist dann zwischen Wien, Prag, Dresden, Berlin und München
1798-1805 *Grabmal für Maria Cristina von Österreich* (Augustinerkirche, Wien)
1815 Als leiter der Delegation des Heiligen Stuhls beim Pariser Kongress werden ihm die von den Franzosen nach dem Vertrag von Tolentino eingeforderten Kunstwerke zurückerstattet
1819 *Die ohnmächtige Magdalena* (Gipsoteca, Possagno)

1768 Werkt in het atelier van beeldhouwer Giuseppe Bernardi, met wie hij naar Venetië verhuist
1775 Voltooid de *Orpheus* en *Eurydice* (Museo Correr, Venezia) voor zijn eerste beschermheer, Giovanni Falier
1779 Gaat naar Rome. Verblijft in Bologna en Florence. De ambassadeur Girolamo Zulian wordt zijn nieuwe beschermheer
1781-1783 *Theseus op de Minotauro* (Victoria & Albert Museum, London)
1798 Keert terug naar Possagno, reist vervolgens naar Wenen, Praag, Dresden, Berlijn en München
1798-1805 *Grafmonument voor Maria Christina van Oostenrijk* (Augustinerkirche, Wien)
1815 Als hoofd van de delegatie van de Heilige Stoel op het Congres van Parijs, weet hij de na het Verdrag van Tolentino door de Fransen meegenomen kunstwerken, terug te krijgen
1819 *De flauwgevallen Magdalena* (Gipsoteca, Possagno)

1768 Ingresa al taller del escultor Giuseppe Bernardi, con el que se trasladará a Venecia
1775 Realiza para Giovanni Falier, su primer protector, *Eurídice y Orfeo* (Museo Correr, Venezia)
1779 Va a Roma. Estancias en Boloña y Florencia. El embajador Girolamo Zulian se convierte en su nuevo protector
1781-1783 *Teseo y el Minotauro* (Victoria & Albert Museum, London)
1798 Vuelve a Possagno, luego viaja entre Viena, Praga, Dresde, Berlín y Múnich
1798-1805 *Monumento fúnebre a María Cristina de Austria* (Augustinerkirche, Wien)
1815 Como jefe de la delegación de la Santa Sede en el Congreso de París obtiene la devolución de las obras de arte requisadas por los franceses después del tratado de Tolentino
1819 *La Magdalena yacente* (Gipsoteca, Possagno)

Caravaggio
(Milano 1571 - Porto Ercole, Grosseto 1610)

1593-1594 *Young Sick Bacchus, Boy with a Basket of Fruit* (Galleria Borghese, Roma); *Sacrifice of Isaac* (Galleria degli Uffizi, Firenze); *Rest on the Flight to Egypt* (Galleria Doria Pamphilj, Roma)
1595-1596 *Boy Bitten by a Lizard* (Collezione Longhi, Firenze); *Basket of Fruit* (Pinacoteca Ambrosiana, Milano)
1596-1598 *Medusa* (Galleria degli Uffizi, Firenze)
1599-1600 San Luigi dei Francesi, Cappella Contarelli, Roma
1602 *Supper at Emmaus* (National Gallery, London)
1602-1604 *Deposition* (Pinacoteca Vaticana, Città del Vaticano)
1606 *Death of the Virgin* (Louvre, Paris)
1608 *Decollation of St John the Baptist* (St John's Knights Co-Cathedral, Valletta)
1610 *David with the Head of Goliath* (Galleria Borghese, Roma)

1593-1594 *Kranker Bacchus, Junge mit Früchtekorb* (Galleria Borghese, Roma); *Das Opfer des Isaak* (Galleria degli Uffizi, Firenze); *Ruhe auf der Flucht nach Ägypten* (Galleria Doria Pamphilj, Roma)
1595-1596 *Junge, von einer Eidechse gebissen* (Collezione Longhi, Firenze); *Früchtekorb* (Pinacoteca Ambrosiana, Milano)
1596-1598 *Medusa* (Galleria degli Uffizi, Firenze)
1599-1600 San Luigi dei Francesi, Cappella Contarelli, Roma
1602 *Mahl in Emmaus* (National Gallery, London)
1602-1604 *Kreuzabnahme* (Pinacoteca Vaticana, Città del Vaticano)
1606 *Der Tod Mariens* (Louvre, Paris)
1608 *Enthauptung Johannes des Täufers* (St John's Knights Co-Cathedral, Valletta)
1610 *David mit dem Haupt des Goliath* (Galleria Borghese, Roma)

1593-1594 *Zieke Bacchus, Jongen met fruitmand* (Galleria Borghese, Roma); *Het offer van Izak* (Galleria degli Uffizi, Firenze); *Rust tijdens de vlucht naar Egypte* (Galleria Doria Pamphilj, Roma)
1595-1596 *Jongen gebeten door een hagedis* (Collezione Longhi, Firenze); *Fruitmand* (Pinacoteca Ambrosiana, Milano)
1596-1598 *Medusa* (Galleria degli Uffizi, Firenze)
1599-1600 San Luigi dei Francesi, Cappella Contarelli, Roma
1602 *Avondmaal te Emmaüs* (National Gallery, London)
1602-1604 *Kruisafname* (Pinacoteca Vaticana, Città del Vaticano)
1606 *De dood van Maria* (Louvre, Paris)
1608 *De Onthoofding van Johannes de Doper* (St John's Knights Co-Cathedral, Valletta)
1610 *David met het hoofd van Goliath* (Galleria Borghese, Roma)

1593-1594 *Baco infermo, Muchacho con un cesto de frutas* (Galleria Borghese, Roma); *El sacrificio de Isaac* (Galleria degli Uffizi, Firenze); *Descanso en la huida a Egipto* (Galleria Doria Pamphilj, Roma)
1595-1596 *Muchacho mordido por un lagarto* (Collezione Longhi, Firenze); *Cesto de frutas* (Pinacoteca Ambrosiana, Milano)
1596-1598 *Medusa* (Galleria degli Uffizi, Firenze)
1599-1600 San Luigi dei Francesi, Cappella Contarelli, Roma
1602 *La cena en Emaús* (National Gallery, London)
1602-1604 *Descendimiento de la cruz* (Pinacoteca Vaticana, Città del Vaticano)
1606 *Muerte de la Virgen* (Louvre, Paris)
1608 *La degollación de San Juan Bautista* (St John's Knights Co-Cathedral, Valletta)
1610 *David con la cabeza de Goliat* (Galleria Borghese, Roma)

Jacques-Louis David
(Paris 1748 - Bruxelles 1825)

1775-1780 He lives in Rome after having been awarded the *Prix de Rome*. Becoming acquainted with the theories of Winckelmann and Mengs
1783 *Andromache Mourning Hector* (École des Beaux-Arts, Paris)
1784-1785 He travels to Rome again. *The Oath of the Horatii* (Louvre, Paris)
1789 The French revolution breaks out. David actively participates, dedicating numerous works to the actors and events of the time
1796 His admiration for Napoleon leads him to paint numerous portraits
1804-1807 *Coronation of Napoleon* (Louvre, Paris)
1814 With the collapse of the napoleonic empire and the restoration, he is exiled to Brussels

1775-1780 Aufenthalt in Rom Dank des *Prix de Rome*. Er lernt die theorien von Winckelmann und Mengs kennen
1783 *Der Schmerz der Andromaca* (École des Beaux-Arts, Paris)
1784-1785 Erneuter Aufenthalt in Rom. *Der Schwur der Horatier* (Louvre, Paris)
1789 Die Französische revolution bricht aus. David nimmt aktiv teil und widmet Begebenheiten und Personen dieser Zeit zahlreiche Werke
1796 Seine Bewunderung für Napoleon keimt auf. Von ihm fertig er unzählige Porträts an
1804-1807 *Die Krönung Napoleons* (Louvre, Paris)
1814 Na de val van napoleons rijk en het begin van de restauratie, wordt hij verbannen naar Brussel

1775-1780 Verblijf in Rome dankzij de *Prix de Rome*. Maakt kennis met de theorieën van Winckelmann en Mengs
1783 *Pijn van Andromache* (École des Beaux-Arts, Paris)
1784-1785 Reist opnieuw naar Rome. *De eed van de Orazi* (Louvre, Paris)
1789 De Franse revolutie breekt uit. David neemt er actief aan deel, hij wijdt veel werken aan gebeurtenissen en personen uit die tijd
1796 Zijn bewondering voor Napoleon ontstaat, voor wie hij talrijke portretten schildert
1804-1807 *De kroning van Napoleon* (Louvre, Paris)
1814 Na de val van napoleons rijk en het begin van de restauratie, wordt hij verbannen naar Brussel

1775-1780 Permanece en Roma gracias al *Premio de Roma*. Conoce las teorías de Winckelmann y Mengs
1783 *El dolor y los lamentos de Andrómaca* (École des Beaux-Arts, Paris)
1784-1785 Nueva estancia en Roma. *El juramento de los Horacios* (Louvre, Paris)
1789 Estalla la revolución francesa. David participa activamente, dedicando numerosas obras a hechos y personajes del momento
1796 Nace la admiración por Napoleón, de quien realizará numerosos retratos
1804-1807 *La coronación de Napoleón* (Louvre, Paris)
1814 Con la caída del imperio napoleónico y la restauración, se esilia en Bruselas

Eugène Delacroix
(Charenton – Saint-Maurice, Paris 1798 - 1863)

1806 He returns to Paris after his father dies
1815-1822 He enters Pierre-Narcisse Guérin's studio at the École des Beaux-Arts and receives his first commissions
1822 First exhibition at the Paris salon with *The Barque of Dante* (Louvre, Paris)
1832 Travels in North Africa and Spain
1833-1846 Mural cycles in the salon du roi and the library at the Palais Bourbon, the seat of the National Assembly, and the library of the Palais du Luxembourg, the seat of the Senate
1844 He resides at Champrosay, in the Fontainebleau countryside
1849-1861 Decoration of the Chapel of the holy Angels at Saint-Sulpice
1850-1851 Ceiling of the Apollo gallery in the Louvre

1806 Nach dem tod des Vaters kehrt er mit der Familie nach Paris zurück
1815-1822 Ausbildung im Atelier von Pierre-Narcisse Guérin und an der École des Beaux-Arts. Erste Bestellungen
1822 Debüt im salon mit *Dante und Vergil in der Hölle* (Louvre, Paris)
1832 Er reist nach Nordafrika und Spanien
1833-1846 Dekorative Zyklen in der Bibliothek des Palais de Bourbon, sitz der Assémblée Nationale, und in der Bibliothek des Palais du Luxembourg, sitz des Senats
1844 Es beginnen die Aufenthalte in Champrosay, auf dem land von Fontainebleau
1849-1861 Ausstattung der engels-Kapelle in Saint-Sulpice
1850-1851 Deckenmalerei der Apollogallerie im Louvre

1806 Na de dood van zijn vader, keert hij met het gezin terug naar Parijs
1815-1822 Opleiding in het atelier van Pierre-Narcisse Guérin en aan de École des Beaux-Arts, de kunstopleiding. Eerste opdrachten
1822 Debuut op de salon met *De boot van Dante* (Louvre, Paris)
1832 Reis naar noord-Afrika en Spanje
1833-1846 Decoratie van de salon du roi en de bibliotheek van het Palais Bourbon, de zetel van de Assemblée Nationale, en van de bibliotheek van het Palais du Luxembourg, zetel van de Senaat
1844 Verblijf in Champrosay, op het platteland van Fontainebleau
1849-1861 Decoratie van de Kapel van de heilige engelen in Saint-Sulpice
1850-1851 Plafond van de Apollogalerij in het Louvre

1806 Después de la muerte del padre, vuelve a París con su familia
1815-1822 Formación en el taller de Pierre-Narcisse Guérin y en la École des Beaux-Arts. Primeros encargos
1822 Debut en el salón de París con la *Barca de Dante* (Louvre, Paris)
1832 Viaja al norte de África y a España
1833-1846 Ciclos decorativos del salón del rey y de la Biblioteca del Palacio Borbón, sede de la Asamblea Nacional, y de la Biblioteca del Palacio de Luxemburgo, sede del Senado
1844 Comienzan sus estancias en Champrosay, en la campiña de Fontainebleau
1849-1861 Decoración de la Capilla de los santos Ángeles en Saint-Sulpice
1850-1851 Cielorraso de la galería de Apolo en el Louvre

Albrecht Dürer
(Nürnberg 1471 – 1528)

1484 First *Self Portrait* (Graphische Sammlung Albertina, Wien)	**1484** Erstes *Selbstbildnis* (Graphische Sammlung Albertina, Wien)	**1484** Eerste *Zelfportret* (Graphische Sammlung Albertina, Wien)	**1484** Primer *Autorretrato* (Graphische Sammlung Albertina, Wien)
1489-1490 Travelled in Europe and Italy	**1489-1490** Reisen in Europa und Italien	**1489-1490** Reist naar Europa en Italië	**1489-1490** Viajes a Europa e Italia
1490 *Portrait of Dürer's Father* (Galleria degli Uffizi, Firenze) and *Portrait of Dürer's Mother* (Germanisches Nationalmuseum, Nürnberg)	**1490** *Bildnis des Vaters* (Galleria degli Uffizi, Firenze) und *Bildnis der Mutter* (Germanisches Nationalmuseum, Nürnberg)	**1490** *Portret van zijn vader* (Galleria degli Uffizi, Firenze) en *Portret van zijn moeder* (Germanisches Nationalmuseum, Nürnberg)	**1490** *Retrato de su padre* (Galleria degli Uffizi, Firenze) y *Retrato de su madre* (Germanisches Nationalmuseum, Nürnberg)
1493 Basel, *Self Portrait with Eryngium Flower* (Louvre, Paris)	**1493** Basel, *Selbstportrait mit Distel* (Louvre, Paris)	**1493** Basel, *Zelfportret met distel* (Louvre, Paris)	**1493** Basel, *Autorretrato con flor de cardo* (Louvre, Paris)
1494 *The Wire-Drawing Mill* (Staatliche Museen, Berlin)	**1494** *Die Mühle* (Staatliche Museen, Berlin)	**1494** *De molen* (Staatliche Museen, Berlin)	**1494** *El molino* (Staatliche Museen, Berlin)
1497-1510 Woodcuts for the *Passion of Christ*	**1497-1510** Radierungen für die *Große Passion Christi*	**1497-1510** Gravures voor de *Grote Passie van Christus*	**1497-1510** Grabados para la *Gran Pasión de Cristo*
1498 *Paumgartner altarpiece* (Alte Pinakothek, München)	**1498** *Paumgartner Altar* (Alte Pinakothek, München)	**1498** *Paumgartner-altaar* (Alte Pinakothek, München)	**1498** *Altar Paumgartner* (Alte Pinakothek, München)
1507 *Adam and Eve* (Prado, Madrid)	**1507** *Adam und Eva* (Prado, Madrid)	**1507** *Adam en Eva* (Prado, Madrid)	**1507** *Adán y Eva* (Prado, Madrid)
1511 *Adoration of the Holy Trinity* (Kunsthistorisches Museum, Wien)	**1511** *Anbetung der Trinität* (Kunsthistorisches Museum, Wien)	**1511** *Aanbidding der Wijzen* (Kunsthistorisches Museum, Wien)	**1511** *Adoración de la Trinidad* (Kunsthistorisches Museum, Wien)
1512 Became the court painter of Maximilian I	**1512** Er wird hofmaler bei Maximilian I.	**1512** Wordt hofschilder van Maximiliaan I	**1512** Se convierte en pintor de la corte de Maximiliano I
1521-1526 Painted the masterpieces of his mature years, portraits and religious subjects	**1521-1526** Er arbeitet an seinen reifen Meisterwerken, an Bildnissen und Bildern religiösen inhalts	**1521-1526** Verwezenlijkt zijn rijpe meesterwerken, portretten en religieuze schilderijen	**1521-1526** Obras maestras de su madurez, retratos y cuadros de carácter religioso
1526 *Madonna of the Pear* (Galleria degli Uffizi, Firenze)	**1526** *Maria mit Kind und mit der Birne* (Galleria degli Uffizi, Firenze)	**1526** *Maria en Kind, met peer* (Galleria degli Uffizi, Firenze)	**1526** *Virgen de la pera con el Niño* (Galleria degli Uffizi, Firenze)

Théodore Géricault
(Rouen 1791 - Paris 1824)

1798 He moves to Paris with his family	**1798** Er zieht mit der Familie nach Paris	**1798** Hij verhuist met zijn gezin naar Parijs	**1798** Se establece con su familia en París
1808-1810 He becomes Horace Vernet's student, then studies under Pierre-Narcisse Guérin	**1808-1810** Schüler von Horace Vernet und danach von Pierre-Narcisse Guérin	**1808-1810** Wordt leerling van Horace Vernet en vervolgens van Pierre-Narcisse Guérin	**1808-1810** Alumno de Horace Vernet y luego de Pierre-Narcisse Guérin
1812 He exhibits at the Paris salon for the first time with *The Charging Chasseur* (Louvre, Paris)	**1812** Debütiert im salon mit *Offizier der Gardejäger beim Angriff* (Louvre, Paris)	**1812** Debuteert op de salon met *Officier van de garde* (Louvre, Paris)	**1812** Debuta en el salón con *Oficial de cazadores a caballo de la guardia imperial, a la carga* (Louvre, Paris)
1814 *The Wounded Cuirassier* (Louvre, Paris)	**1814** *Verwundeter Kürassier verlässt das Schlachtfeld* (Louvre, Paris)	**1814** *Gewonde kurassier verlaat het strijdveld* (Louvre, Paris)	**1814** *Coracero herido* (Louvre, Paris)
1816-1817 Italia, in 1817 he paints the series, *Race of Wild Horses* (Baltimore, Lille, Rouen, Paris). Then returns to Paris	**1816-1817** Italia, in 1817 fertigt er die serie *Rennen der Berberhengste* (Baltimore, Lille, Rouen, Paris). Dann kehrt er nach Paris zurück	**1816-1817** Italia, in 1817 volgt de reeks *Berber Paardenrace* (Baltimore, Lille, Rouen, Parijs). Vervolgens keert hij terug naar Parijs	**1816-1817** Italia, en 1817 ejecuta la serie de *La carrera de los caballos Barberi* (Baltimore, Lille, Rouen, París). Luego regresa a París
1818-1819 *The Raft of the Medusa* (Louvre, Paris). His first official religious commission, *The Virgin of Sacre-Coeur*, he will pass to Delacroix	**1818-1819** *Das Floß der Medusa* (Louvre, Paris). Erste offizielle Bestellung eines religiösen Bildes, *Die Jungfrau von Sacre Coeur*, die aber an Delacroix geht	**1818-1819** *Het vlot van Medusa* (Louvre, Paris). Eerste officiële opdracht voor een religieus beeld, *De maagd van het Heilige hart*, die echter naar Delacroix gaat	**1818-1819** *La balsa de la Medusa* (Louvre, Paris). Primer encargo oficial de un cuadro religioso, *La Virgen del Sagrado Corazón*, que pasará a Delacroix
1821 Short trip to Brussels to visit David in exile	**1821** Kurze reise nach Brüssel, um David im exil zu besuchen	**1821** Korte reis naar Brussel om de verbannen David te bezoeken	**1821** Breve viaje a Bruselas para visitar a David en el exilio
1822-1823 He does a series of portraits of mentally ill patients for Dr. Georget	**1822-1823** Serie der Geisteskranken für Doktor Georget	**1822-1823** Serie De waanzinnigen voor dokter Georget	**1822-1823** Serie de los Alienados mentales para el doctor Georget
1823 A terrible fall from a horse immobilizes him	**1823** Ein schrecklicher Pferdeunfall macht ihn bewegungsunfähig	**1823** Raakt verlamd door een vreselijke val van een paard	**1823** Una terrible caída del caballo lo obliga a estar postrado

Francisco Goya y Lucientes
(Fuendetodos, Zaragoza 1746 - Bordeaux 1828)

1771 While returning from a trip to Italy, he receives his first important commission: the frescoes in the Church of Our Lady of Pilar in Saragossa
1774 Madrid, he begins working as a portrait artist for wealthy individuals
1798 Now deaf, he executes the beautiful frescoes in the sanctuary of saint Anthony of la Florida in Madrid
1799 In the series of engravings *Los Caprichos*, he condemns superstition, iniquity and oppression. He is appointed principal painter to the spanish court
1797-1803 *The Naked Maja and The Clothed Maja* (Prado, Madrid)
1810-1814 He condemns all war and violence with the prints *The Disasters of War* and the painting *The Third of May 1808* (Prado, Madrid)
1824 Bordeaux

1771 Nach rückkehr von einer Italienreise erhält er die erste wichtige Bestellung: die Fresken in der Kirche Nuestra Señora del Pilar in Zaragoza
1774 Madrid, er beginnt seine tätigkeit als Porträtmaler von Persönlichkeiten der high society
1798 Mittlerweile taub erstellt er die prächtigen Fresken von san Antonio de la Florida in Madrid
1799 Mit den radierungen *Los Caprichos* zeigt er seine ganze Aversion gegen den Aberglauben, die niedertracht und die unterdrückung. Er wird zum ersten hofmaler ernannt
1797-1803 *Die nackte Maja und Die bekleidete Maja* (Prado, Madrid)
1810-1814 Mit den radierungen *Die Schrecken des Krieges* und der leinwand *Die Erschießung der Aufständischen 3. Mai 1808* verurteilt er jede Form von Krieg und gewalt (Prado, Madrid)
1824 Bordeaux

1771 Na terugkeer van een reis naar Italië, krijgt hij zijn eerste belangrijke opdracht: de fresco's in de Nuestra Señora del Pilarkerk in Zaragoza
1774 Madrid, begint met het portretteren van personen uit de hogere klasse
1798 Hij is inmiddels doof, maar hij maakt schitterende fresco's in de san Antonio de la Florida in Madrid
1799 Uit zijn *Los Caprichos*-gravures blijkt zijn afkeer van bijgeloof, kwaadaardigheid en onderdrukking. Hij wordt benoemd tot eerste hofschilder
1797-1803 *De naakte Maja en De geklede Maja* (Prado, Madrid)
1810-1814 Veroordeelt elke vorm van oorlog met zijn gravures *Verschrikkingen van de oorlog* en met het doek *3 mei 1808: executie van prins Pius op de heuvel* (Prado, Madrid)
1824 Bordeaux

1771 De regreso de un viaje a Italia, recibe su primer encargo importante: los frescos en la iglesia de Nuestra Señora del Pilar en Zaragoza
1774 Madrid, inicia su actividad de retratista de personajes de la alta sociedad
1798 Ya sordo, realiza los espléndidos frescos en el santuario de san Antonio de la Florida en Madrid
1799 A través de la serie de grabados *Los Caprichos* demuestra toda su aversión por la superstición, la maldad, la opresión. Es nombrado primer pintor de la corte
1797-1803 *La Maja desnuda y La Maja vestida* (Prado, Madrid)
1810-1814 Condena toda guerra y violencia con los grabados de los *Desastres de la guerra* y con el lienzo *El tres de mayo de 1808, o Los fusilamientos en la montaña del Príncipe Pío* (Prado, Madrid)
1824 Bordeaux

Jean-Auguste-Dominique Ingres
(Montauban 1780 - Paris 1867)

1797 He moves to Paris and enters the studio of Jacques-Louis David
1801 Wins the *Prix de Rome*, but cannot leave until 1806 because of war
1806 *Napoleon I on his Imperial Throne* (Musée de l'Armée, Paris). He leaves for Rome and stops along the way in Florence
1808 He sends *The Bather of Valpinçon* and *Oedipus and the Sphinx* (Louvre, Paris) to France as proof of his artistic qualifications
1813 For the project of transforming the Quirinal Palace into napoleon's roman palace, he paints *The Dream of Ossian* (Musée Ingres, Montauban)
1819 Firenze
1834-1840 Director of the French Academy in Rome
1841 Paris
1854 *The Virgin with the Host* (Musée d'Orsay, Paris)
1856 *The Spring* (Musée d'Orsay, Paris)

1797 Er zieht nach Paris. Er beginnt im Atelier von Jacques-Louis David
1801 Er gewinnt den *Prix de Rome*, kann aber bis 1806 aufgrund der Kriegsgeschehnisse nicht reisen
1806 *Napoleon I. auf dem Thron* (Musée de l'Armée, Paris). Er reist nach Rom und hält in Florenz an
1808 Als akademische Prüfungen schickt er die *Die Badende von Valpinçon* und *Ödipus und die Sphinx* (Louvre, Paris) nach Frankreich
1813 Für das umgestaltungsprojekt des Quirinals im napoleonischen Palast führt er *Den Traum des Ossian* (Musée Ingres, Montauban)
1834-1840 Direktor der Accademia di Francia in Rom
1841 Paris
1854 *Die Jungfrau mit Hostie* (Musée d'Orsay, Paris)
1856 *Die Quelle* (Musée d'Orsay, Paris)

1797 Verhuist naar Parijs. Begint in de studio van Jacques-Louis David
1801 Wint de *Prix de Rome*, maar kan tot 1806 niet afreizen vanwege de oorlog
1806 *Napoleon I op de keizerlijke troon* (Musée de l'Armée, Paris). Vertrekt naar Rome en reist via Florence
1808 Maakt in Frankrijk de proefstukken *De baadster van Valpinçon* en *Oedipus en de sfinx* (Louvre, Paris)
1813 Maakt *De droom van Ossian* voor de renovatie van het Quirinaal tot paleis van napoleon (Musée Ingres, Montauban)
1819 Firenze
1834-1840 Directeur van de Academie van Frankrijk in Rome
1841 Paris
1854 *De maagd en de hostie* (Musée d'Orsay, Paris)
1856 *De bron* (Musée d'Orsay, Paris)

1797 Se establece en París. Ingresa al estudio de Jacques-Louis David
1801 Gana el *Premio de Roma*, pero no partirá hasta 1806 debido a la guerra
1806 *Napoleón en su trono imperial* (Musée de l'Armée, Paris). Parte hacia Roma, pasando primero por Florencia
1808 Envía a Francia como pruebas académicas *La bañista de Valpinçon y Edipo y la Esfinge* (Louvre, Paris)
1813 Para el proyecto de transformación del Palacio del Quirinal en palacio real napoleónico realiza *El sueño de Ossian* (Musée Ingres, Montauban)
1819 Firenze
1834-1840 Director de la Academia de Francia en Roma
1841 Paris
1854 *La Virgen de la Hostia* (Musée d'Orsay, Paris)
1856 *La fuente* (Musée d'Orsay, Paris)

Leonardo da Vinci
(Vinci, Firenze 1452 - Amboise 1519)

1469 Firenze, apprentice in Verrocchio's workshop	**1469** Firenze, er arbeitet in der Werkstatt von Verrocchio	**1469** Firenze, werkt in de werkplaats van Verrocchio	**1469** Firenze, trabaja en el taller de Verrocchio
1478 Received his first independent commission: the altarpiece for the chapel of san Bernardo in Palazzo Vecchio	**1478** Er erhält seinen ersten selbständigen auftrag: das altarbild der Kapelle san Bernardo im Palazzo Vecchio	**1478** Ontvangt zijn eerste onafhankelijke opdracht: het altaarstuk voor het altaar van de san Bernardo Kapel in het Palazzo Vecchio	**1478** Recibe su primer encargo independiente: el retablo para el altar de la capilla de san Bernardo en el Palazzo Vecchio
1482 Milano	**1482** Milano	**1482** Milano	**1482** Milano
1487 ca. Castello Sforzesco, designed the decorations	**1487 ca.** Castello Sforzesco, er plant die Dekoration	**1487 ca.** Castello Sforzesco, ontwerpt de decoraties	**1487 ca.** Castello Sforzesco, diseña la decoración
1488-1490 *Lady with an Ermine* (Muzeum Czartoryski, Kraków)	**1488-1490** *Dame mit dem Hermelin* (Muzeum Czartoryski, Kraków)	**1488-1490** *De Dame met de Hermelijn* (Muzeum Czartoryski, Kraków)	**1488-1490** *La dama del armiño* (Muzeum Czartoryski, Kraków)
1494-1498 *Last Supper* (Santa Maria delle Grazie, Milano)	**1494-1498** *Das Letzte Abendmahl* (Santa Maria delle Grazie, Milano)	**1494-1498** *Laatste Avondmaal* (Santa Maria delle Grazie, Milano)	**1494-1498** *La Última Cena* (Santa Maria delle Grazie, Milano)
1501 Cartoon for *Madonna and Child with St. Anne and young St. John* (National Gallery, London)	**1501** Karton der *Hl. Anna, der Madonna, dem Kind und Johannes des Täufers* (National Gallery, London)	**1501** Karton voor *Sint-Anna, de Madonna, het Kind en Johannes de Doper* (National Gallery, London)	**1501** Cartón para *La Virgen, el Niño Jesús, Santa Ana y San Juan Bautista* (National Gallery, London)
1502-1503 In the entourage of Cesare Borgia	**1502-1503** Am hofe des Cesare Borgia	**1502-1503** Behoort tot het gevolg van Cesare Borgia	**1502-1503** Forma parte del séquito de César Borgia
1503-1506 *Mona Lisa* (Louvre, Paris)	**1503-1506** *Mona Lisa* (Louvre, Paris)	**1503-1506** *La Gioconda* (Louvre, Paris)	**1503-1506** *La Gioconda* (Louvre, Paris)
1508-1513 *Virgin and Child with St. Anne* (Louvre, Paris)	**1508-1513** *Maria mit dem Kind und Hl. Anna* (Louvre, Paris)	**1508-1513** *Madonna met Kind en Sint Anna-te-drieën* (Louvre, Paris)	**1508-1513** *La Virgen, el Niño Jesús y Santa Ana* (Louvre, Paris)
1510 Milano, began studying anatomy	**1510** Milano, er beginnt mit seinen anatomischen studien	**1510** Begint in Milano met het bestuderen van de anatomie	**1510** Milano, empieza los estudios de anatomía
1513-1516 *St. John the Baptist* (Louvre, Paris)	**1513-1516** *Johannes der Täufer* (Louvre, Paris)	**1513-1516** *Johannes de Doper* (Louvre, Paris)	**1513-1516** *San Juan Bautista* (Louvre, Paris)
1517 Invited to France as a guest of François I	**1517** Er wird nach Frankreich an den hof Franz I. eingeladen	**1517** Wordt naar Frankrijk geroepen als gast van Frans I	**1517** Le llaman de Francia y es huésped de Francisco I

Claude Lorrain
(Chamagne 1600 - Rome 1682

1616 ca. After moving to Rome from the Lorraine region, entering the workshop of Agostino Tassi	**1616 ca.** Nach seiner Umsiedlung von Lothringen nach Rom besucht er die Werkstatt von Agostino Tassi	**1616 ca.** Nadat hij uit Lorraine naar Rome verhuisd is, treedt hij toe tot het atelier van Agostino Tassi	**1616 ca.** Después que se trasfiere a Roma desde Lorena, entra en el taller de Agostino Tassi
1619-1621 He spent two years in Naples with G. Wals	**1619-1621** Verbringt er zwei Jahre in Neapel mit G. Wals	**1619-1621** Verblijft twee jaar met G. Wals in Napels	**1619-1621** Transcurre dos años en Nápoles con G. Wals
1625-1626 He worked in Nancy alongside Deruet	**1625-1626** Hält er sich in Nancy an der Seite Deruets auf	**1625-1626** Verblijft in Nancy aan de zijde van Deruet	**1625-1626** Estancia en Nancy junto con Deruet
1636 He began to record his works in the *Liber Veritatis* (British Museum, London)	**1636** Beginnt er seine Werke im *Liber Veritatis* (British Museum, London) zu verzeichnen	**1636** Begint met het registreren van zijn schilderwerken in het *Liber Veritatis* (British Museum, London)	**1636** Inicia a registrar su producción pictórica en el *Liber Veritatis* (British Museum, London)
1639 *Embarkation of St Paula Romana at Ostia* (Prado, Madrid); *Sea Port at Sunset* (Louvre, Paris)	**1639** *Aufbruch der Heiligen Paola* (Prado, Madrid); *Hafen beim Sonnenuntergang* (Louvre, Paris)	**1639** *Vertrek van de heilige Paula* (Prado, Madrid); *Zonsondergang op een zeehaven* (Louvre, Paris)	**1639** *Paisaje con el embarco de Santa Paula Romana* (Prado, Madrid); *Puerto de mar al anochecer* (Louvre, Paris)
1648 *Seaport with the Embarkation of the Queen of Sheba* (National Gallery, London); *Landscape with Dancing Figures (The Mill)* (Galleria Doria Pamphilj, Roma)	**1648** *Hafen mit der Einschiffung der Königin von Saba* (National Gallery, London); *Mühle* (Galleria Doria Pamphilj, Roma)	**1648** *Inscheping van de koningin van Saba* (National Gallery, London); *Molen* (Galleria Doria Pamphilj, Roma)	**1648** *Puerto con el embarque de la Reina de Saba* (National Gallery, London); *Molino* (Galleria Doria Pamphilj, Roma)
1650 *Landscape with Apollo and Mercury* (Galleria Doria Pamphilj, Roma); *View of Delphi with Procession* (Galleria Doria Pamphilj, Roma)	**1650** *Landschaft mit Apollo und Merkur* (Galleria Doria Pamphilj, Roma); *Vedute von Delphi mit einer Opferprozession* (Galleria Doria Pamphilj, Roma)	**1650** *Mercurius steelt de kuddes van Admeto vanApollo* (Galleria Doria Pamphilj, Roma); *Zicht op Delft met processie* (Galleria Doria Pamphilj, Roma)	**1650** *Mercurio roba el ganado de Admeto a Apolo* (Galleria Doria Pamphilj, Roma); *Vista de Delfi con procesión* (Galleria Doria Pamphilj, Roma)

Michelangelo Buonarroti
(Caprese, Arezzo 1475 - Roma 1564)

1492 *Madonna of the Stairs* and *Battle of the Centaurs* (Casa Buonarroti, Firenze)	**1492** *Madonna an der Treppe* und *Die Kentaurenschlacht* (Casa Buonarroti, Firenze)	**1492** *Madonna van de Trappen* en het *Centaurengevecht* (Casa Buonarroti, Firenze)	**1492** *Virgen de la escalera* y *Batalla de los centauros* (Casa Buonarroti, Firenze)
1498-1499 *Pietà* (San Pietro, Città del Vaticano)	**1498-1499** *Pietà* (San Pietro, Città del Vaticano)	**1498-1499** *Pietà* (San Pietro, Città del Vaticano)	**1498-1499** *La Pietad* (San Pietro, Città del Vaticano)
1501-1504 *David* (Galleria dell'Accademia, Firenze)	**1501-1504** *David* (Galleria dell'Accademia, Firenze)	**1501-1504** *David* (Galleria dell'Accademia, Firenze)	**1501-1504** *David* (Galleria dell'Accademia, Firenze)
1504-1506 *Tondo Doni* (Galleria degli Uffizi, Firenze); *The Battle of Cascina* (Palazzo Vecchio, Firenze)	**1504-1506** *Tondo Doni* (Galleria degli Uffizi, Firenze); *Schlacht von Cascina* (Palazzo Vecchio, Firenze)	**1504-1506** *Tondo Doni* (Galleria degli Uffizi, Firenze); *De Slag bij Cascina* (Palazzo Vecchio, Firenze)	**1504-1506** *Tondo Doni* (Galleria degli Uffizi, Firenze); *La batalla de Cascina* (Palazzo Vecchio, Firenze)
1508-1512 Painted the ceiling of the Cappella Sistina	**1508-1512** Er malt das gewölbe der Sixtinischen Kapelle	**1508-1512** Beschildert het gewelf van de Sixtijnse Kapel	**1508-1512** Pinta la bóveda de la Capilla Sixtina
1515 ca. *Moses* for the tomb of Julius II (San Pietro in Vincoli, Roma)	**1515 ca.** *Moses* für das grabmal Julius II. (San Pietro in Vincoli, Roma)	**1515 ca.** *Mozes* voor de graftombe van Julius II (San Pietro in Vincoli, Roma)	**1515 ca.** *Moisés* para la tumba de Julio II (San Pietro in Vincoli, Roma)
1520-1534 Sagrestia Nuova, San Lorenzo	**1520-1534** Sagrestia Nuova, San Lorenzo	**1520-1534** Sagrestia Nuova, San Lorenzo	**1520-1534** Sagrestia Nuova, San Lorenzo
1524-1534 Biblioteca Medicea Laurenziana	**1534-1541** *Das Jüngste Gericht* in der Sixtinischen Kapelle	**1534-1541** *Het Laatste Oordeel* in de Sixtijnse Kapel	**1534-1541** *Juicio Final* en la Capilla Sixtina
1534-1541 *Last Judgement* in the Cappella Sistina	**1546-1549** Beginn der entwürfe für die Kuppel des Petersdoms	**1546-1549** Begint met het ontwerpen van de koepel van de Sint-Pieter	**1546-1549** Comienza a diseñar la cúpula de San Pedro
1546-1549 Began work on the project for the Dome of San Pietro	**1550** Er beendet die Fresken in der Cappella Paolina	**1550** Voltooit de fresco's van de Paolina Kapel	**1550** Acaba los frescos de la Capilla Paolina
1552-1564 *Pietà Rondanini* (Castello Sforzesco, Milano)	**1552-1564** *Pietà Rondanini* (Castello Sforzesco, Milano)	**1552-1564** *Pietà Rondanini* (Castello Sforzesco, Milano)	**1552-1564** *Pietà Rondanini* (Castello Sforzesco, Milano)
1555 The new Pope Paul IV confirmed him in office as architect of the Works of San Pietro	**1555** Der neue Papst Paul IV bestätigt ihn als architekt des neuen Petersdoms	**1555** De nieuwe Paus, Paulus IV, stelt hem aan als architect voor de Bouwwerkzaamheden van de Sint-Pieter	**1555** El nuevo Papa Pablo IV le confirma como arquitecto de la Fábrica de San Pedro

Bartolomé Esteban Murillo
(Sevilla 1618 – Sevilla 1682)

1645-1646 He obtained success with works such as the *Angels' Kitchen* (Louvre, Paris) painted for the monastery of San Francisco	**1645-1646** Mit Werken wie *Die Engelsküche* (Louvre, Paris), die er für das Kloster des Heiligen Franziskus erschafft, erlangt er seine ersten wichtigen Erfolge	**1645-1646** Verkrijgt zijn eerste belangrijke succes met zijn werken, zoals *De keuken der engelen* (Louvre, Paris) dat hij voor het klooster van de heilige Franciscus geschilderd had	**1645-1646** Obtiene un primer importante éxito con sus obras, como *La cocina de los ángeles* (Louvre, Paris) realizada para el convento de San Francisco
1650-1655 *Adoration of the Shepherds* (Prado, Madrid)	**1650-1655** *Anbetung der Hirten* (Prado, Madrid)	**1650-1655** *Aanbidding door de herders* (Prado, Madrid)	**1650-1655** *Adoración de los pastores* (Prado, Madrid)
1650-1660 *Holy Family* (Prado, Madrid)	**1650-1660** *Heilige Familie* (Prado, Madrid)	**1650-1660** *Heilige Familie* (Prado, Madrid)	**1650-1660** *Sagrada Familia* (Prado, Madrid)
1658 He travels to Madrid where he became familiar with the royal collections and works of other leading painters in the decorative baroque movement	**1658** Reise nach Madrid, wo er die königlichen Sammlungen und die Arbeit anderer berühmter Vertreter der dekorativen Barockkunst kennen lernt	**1658** Maakt een reist naar Madrid die hem in staat stelt de koninklijke collecties en het werk van andere beroemde schilders te leren kennen, die deel uitmaken van de decoratieve baroktendens	**1658** Realiza un viaje a Madrid que le permite conocer las colecciones reales y el trabajo de otros pintores famosos dentro de la tendencia del barroco decorativo
1660 *Birth of the Virgin* (Louvre, Paris), painted for Seville Cathedral; he founded the Academia de Bellas Artes (Academy of Art) in Seville	**1660** Malt er *Die Geburt der Maria* (Louvre, Paris) für die Kathedrale von Sevilla und gründet die Akademie der schönen Künste in Sevilla	**1660** *De geboorte van de Maagd* (Louvre, Paris), geschilderd voor de kathedraal van Sevilla; hij sticht een Kunstacademie in Sevilla	**1660** *El nacimiento de la Virgen* (Louvre, Paris), pintura para la catedral de Sevilla; funda una Academia de bellas artes en Sevilla
1660-1670 He painted numerous works including the *Santa Marìa la Blanca* series, becoming famed for his Immaculate Conceptions and urchins. He also painted portraits	**1660-1670** Fertigt er viele Werke an, darunter die Serie für *Santa Maria la Bianca*; er wird berühmt für seine Gemälde der unbefleckten Maria und der Straßenjungen; außerdem malt er Portraits	**1660-1670** Brengt vele werken tot stand, waaronder de serie de *Heilige Maria in het Wit*, en wordt beroemd om zijn schilderijen van de onbevlekte ontvangenis en van straatkinderen. Hij schildert ook portretten	**1660-1670** Compone muchas obras, entre las cuales la serie de *Santa María la Bianca*, se hace famoso por sus Inmaculadas y por sus niños, también realiza retratos
1680 *Trinity* (National Gallery, London)	**1680** *Dreifaltigkeit* (National Gallery, London)	**1680** *Heilige Drie-eenheid* (National Gallery, London)	**1680** *Trinidad* (National Gallery, London)

Nicolas Poussin
(Les Andelys 1594 - Roma 1665)

1625-1626 *Bacchanal* (Prado, Madrid)
1628 *Death of Germanicus* (Institute of Art, Minneapolis)
1628-1629 *Martyrdom of St Erasmus* (Pinacoteca Vaticana, Città del Vaticano); *Massacre of the Innocents* (Musée Condé, Chantilly)
1630 ca. *Rinaldo and Armida* (Puškin Museum, Moscow)
1631 *Realm of Flora* (Gemäldegalerie, Dresden); *Plague at Ashdod* (Louvre, Paris)
1634 ca. *Rape of the Sabines* (Louvre, Paris)
1648 *Landscape with Diogenes* (Louvre, Paris)
1649 *Landscape with Polyphemus* (The State Hermitage, St Petersburg)
1650 *Assumption of the Virgin* and *Inspiration of the Poet* (Louvre, Paris)
1650-1651 *Self Portrait* (Louvre, Paris)

1625-1626 *Baccanal* (Prado, Madrid)
1628 *Der Tod des Germanicus* (Institute of Art, Minneapolis)
1628-1629 *Das Martyrium des Hl. Erasmus* (Pinacoteca Vaticana, Città del Vaticano); *Das Massaker an den Unschuldigen* (Musée Condé, Chantilly)
1630 ca. *Rinaldo und Armida* (Puškin Museum, Moscow)
1631 *Das Königreich der Flora* (Gemäldegalerie, Dresden); *Die Peste von Azoth* (Louvre, Paris)
1634 ca. *Der Raub der Sabinerinnen* (Louvre, Paris)
1648 *Landschaft mit Diogenes* (Louvre, Paris)
1649 *Landschaft mit Polyphem* (The State Hermitage, St Petersburg)
1650 *Mariae Himmelfahrt* und *Inspiration des Dichters* (Louvre, Paris)
1650-1651 *Selbstbildnis* (Louvre, Paris)

1625-1626 *Bacchanalia* (Prado, Madrid)
1628 *De dood van Germanicus* (Institute of Art, Minneapolis)
1628-1629 *Het martelaarschap van de heilige Erasmus* (Pinacoteca Vaticana, Città del Vaticano); *De kindermoord te Bethlehem* (Musée Condé, Chantilly)
1630 ca. *Rinaldo en Armida* (Puškin Museum, Moscow)
1631 *Het rijk van Flora* (Gemäldegalerie, Dresden); *De pest in Ashdod* (Louvre, Paris)
1634 ca. *De Roof van de Sabijnse Maagden* (Louvre, Paris)
1648 *Landschap met Diogenes* (Louvre, Paris)
1649 *Landschap met Polyphemos* (The State Hermitage, St Petersburg)
1650 *Maria-Tenhemelopneming* en *Inspiratie van de Dichter* (Louvre, Paris)
1650-1651 *Zelfportret* (Louvre, Paris)

1625-1626 *Bacanal* (Prado, Madrid)
1628 *Muerte de Germánico* (Institute of Art, Minneapolis)
1628-1629 *El martirio de San Erasmo* (Pinacoteca Vaticana, Città del Vaticano); *La matanza de los inocentes* (Musée Condé, Chantilly)
1630 ca. *Rinaldo y Armida* (Puškin Museum, Moscow)
1631 *El reino de Flora* (Gemäldegalerie, Dresden); *La peste de Azoth* (Louvre, Paris)
1634 ca. *El rapto de las Sabinas* (Louvre, Paris)
1648 *Paisaje con Diógenes* (Louvre, Paris)
1649 *Paisaje con Polifemo* (The State Hermitage, St Petersburg)
1650 *Asunción de la Virgen* (Louvre, Paris); *La inspiración del Poeta* (Louvre, Paris)
1650-1651 *Autorretrato* (Louvre, Paris)

Raffaello Sanzio
(Urbino 1483 - Roma 1520)

1503-1505 Perugia, *Mond Crucifixion* (National Gallery, London); *Oddi Altarpiece* (Pinacoteca Vaticana, Roma)
1504 *Marriage of the Virgin* (Pinacoteca di Brera, Milano)
1505-1506 *Ansidei Altarpiece* (National Gallery, London)
1507 *Baglioni Deposition* (Galleria Borghese, Roma)
1508-1511 *Stanza della Segnatura*, Città del Vaticano
1509 Roma, summoned by Julius II to participate in painting the decorations for his apartment in the Palazzi Vaticani
1511-1514 *Stanza di Eliodoro*, Città del Vaticano
1512 *Triumph of Galatea*, Villa Farnesina
1514 Succeeded to Bramante as director of the Works of San Pietro
1514-1517 *Stanza dell'Incendio*, Città del Vaticano
1517 *Transfiguration* (Pinacoteca Vaticana, Roma)
1518 *Loggia di Psiche*, la Farnesina, Roma

1503-1505 Perugia, *Kreuzigung Mond* (National Gallery, London); *Der Oddi Altar* (Pinacoteca Vaticana, Roma)
1504 *Vermählung der Maria* (Pinacoteca di Brera, Milano)
1505-1506 *Ansidei Altar* (National Gallery, London)
1507 *Kreuzabnahme Baglioni* (Galleria Borghese, Roma)
1508-1511 *Stanza della Segnatura*, Città del Vaticano
1509 Roma, er wird von Papst Julius ii gerufen, um an der Dekoration seiner Wohnräume in den Palazzi Vaticani teilzunehmen
1511-1514 *Stanza di Eliodoro*, Città del Vaticano
1512 *Ausführung der Galatea*, Villa Farnesina
1514 Er übernimmt nach Bramante die leitung der arbeiten am neuen Petersdom
1514-1517 *Stanza dell'Incendio*, Città del Vaticano
1517 *Transfiguration* (Pinacoteca Vaticana, Roma)
1518 *Loggia di Psiche*, la Farnesina, Roma

1503-1505 Perugia, *Mond Kruisiging* (National Gallery, London); *Oddi Altaarstuk* (Pinacoteca Vaticana, Roma)
1504 *Huwelijk van de Maagd* (Pinacoteca di Brera, Milano)
1505-1506 *Ansidei Altaarstuk* (National Gallery, London)
1507 *Kruisafneming Baglioni* (Galleria Borghese, Roma)
1508-1511 *Stanza della Segnatura*, Città del Vaticano
1509 Roma, wordt opgeroepen door Paus Julius II om deel te nemen aan het decoreren van zijn woning in het Palazzi Vaticani
1511-1514 *Stanza di Eliodoro*, Città del Vaticano
1512 *Verwezenlijkt de Galatea*, Villa Farnesina
1514 Neemt na Bramante de leiding over de bouwwerkzaamheden van de sint-Pieter
1514-1517 *Stanza dell'Incendio*, Città del Vaticano
1517 *Transfiguratie* (Pinacoteca Vaticana, Roma)
1518 *Loggia di Psiche*, la Farnesina, Roma

1503-1505 Perugia, *Crucifixión Mond* (National Gallery, London); *Retablo Oddi* (Pinacoteca Vaticana, Roma)
1504 *Los desposorios de la Virgen* (Pinacoteca di Brera, Milano)
1505-1506 *Retablo Ansidei* (National Gallery, London)
1507 *Descendimiento Baglioni* (Galleria Borghese, Roma)
1508-1511 *Stanza della Segnatura*, Città del Vaticano
1509 Roma, llamado por Julio II para participar en la decoración pictórica de sus estancias en los Palacios Vaticanos
1511-1514 *Stanza di Eliodoro*, Città del Vaticano
1512 *Triunfo de Galatea*, Villa Farnesina
1514 Sucede a Bramante en la dirección de las obras de la Fábrica de San Pedro
1514-1517 *Stanza dell'Incendio*, Città del Vaticano
1517 *Transfiguración* (Pinacoteca Vaticana, Roma)
1518 *Loggia di Psiche*, la Farnesina, Roma

Rembrandt Harmenszoon van Rijn
(Leiden 1606 - Amsterdam 1669)

1626 *Musical Allegory* (Rijksmuseum, Amsterdam)	1626 *Konzert mit kostümierten Musikern* (Rijksmuseum, Amsterdam)	1626 *Concert de musiciens costumés* (Rijksmuseum, Amsterdam)	1626 *Concierto de músicos disfrazados* (Rijksmuseum, Amsterdam)
1628 ca. *Self Portrait at an Early Age* (Rijksmuseum, Amsterdam)	1628 ca. *Selbstbildnis mit krausem Haar* (Rijksmuseum, Amsterdam)	1628 ca. *Zelfportret op jeugdige leeftijd* (Rijksmuseum, Amsterdam)	1628 ca. *Autorretrato con el pelo enmarañado* (Rijksmuseum, Amsterdam)
1632 *The Anatomy Lesson of Dr. Nicolaes Tulp* (Mauritshuis, Den Haag)	1632 *Die Anatomie des Dr. Tulp* (Mauritshuis, Den Haag)	1632 *Anatomische les van dokter Nicolaes Tulp* (Mauritshuis, Den Haag)	1632 *La lección de anatomía del Doctor Tulp* (Mauritshuis, Den Haag)
1633 *Portrait of Saskia van Uylenburgh* (Gemäldegalerie Alte Meister, Dresden)	1633 *Bildnis der Saskia van Uylenburgh* (Gemäldegalerie Alte Meister, Dresden)	1633 *Portret van Saskia van Uylenburgh* (Gemäldegalerie Alte Meister, Dresden)	1633 *Retrato de Saskia van Uylenburgh* (Gemäldegalerie Alte Meister, Dresden)
1634 *Deposition from the Cross* (The State Hermitage, St Petersburg) and *Self Portrait as a Young Man* (Galleria degli Uffizi, Firenze)	1634 *Kreuzabnahme* (The State Hermitage, St Petersburg) and *Selbstbildnis als junger Mann* (Galleria degli Uffizi, Firenze)	1634 *Afneming van het kruis* (The State Hermitage, St Petersburg) and *Zelfportret als jongeman* (Galleria degli Uffizi, Firenze)	1634 *Descendimiento de la cruz* (The State Hermitage, St Petersburg); *Autorretrato juvenil* (Galleria degli Uffizi, Firenze)
1635 *The Feast of Belshazzar* (National Gallery, London)	1635 *Das Gastmahl des Belsazar* (National Gallery, London)	1635 *Balthasar's Feest* (National Gallery, London)	1635 *El festín de Baltasar* (National Gallery, London)
1640 *Self Portrait at the Age of 34* (National Gallery, London)	1640 *Selbstbildnis* (National Gallery, London)	1640 *Zelfportret* (National Gallery, London)	1640 *Autorretrato* (National Gallery, London)
1642 *The Night Watch* (Rijksmuseum, Amsterdam)	1642 *Die Nachtwache* (Rijksmuseum, Amsterdam)	1642 *De Nachtwacht* (Rijksmuseum, Amsterdam)	1642 *La ronda de noche* (Rijksmuseum, Amsterdam)
1648 *Supper at Emmaus* (Louvre, Paris)	1648 *Abendmahl in Emmaus* (Louvre, Paris)	1648 *Maaltijd te Emmaüs* (Louvre, Paris)	1648 *Cena de Emaús* (Louvre, Paris)
1660 *Self Portrait at the Easel* (Louvre, Paris)	1660 *Selbstbildnis vor der Staffelei* (Louvre, Paris)	1660 *Zelfportret met schildersezel* (Louvre, Paris)	1660 *Autorretrato con pintura y pinceles* (Louvre, Paris)
1668 *Family Portrait* (Herzog Anton Ulrich Museum, Braunschweig)	1668 *Familienporträt* (Herzog Anton Ulrich Museum, Braunschweig)	1668 *Familieportret* (Herzog Anton Ulrich Museum, Braunschweig)	1668 *Retrato de familia* (Herzog Anton Ulrich Museum, Braunschweig)

Pieter Paul Rubens
(Siegen 1577 - Antwerpen 1640)

1598 *Leda and the Swan* (Gemäldegalerie Alte Meister, Dresden)	1598 *Leda und der Schwan* (Gemäldegalerie Alte Meister, Dresden)	1598 *Leda en de zwaan* (Gemäldegalerie Alte Meister, Dresden)	1598 *Leda y el cisne* (Gemäldegalerie Alte Meister, Dresden)
1600-1608 Italy, became the court painter of Vincenzo Gonzaga	1600-1608 Italien, Er wird Hofmaler von Vincenzo Gonzaga	1600-1608 Italië, wordt hofschilder van Vincenzo Gonzaga	1600-1608 Italia, se convierte en el pintor de Vicente Gonzaga
1604-1605 *The Gonzaga Family Adoring the Trinity* (Palazzo Ducale, Mantova)	1604-1605 *Die Familie Gonzaga in Anbetung der Hl. Dreifaltigkeit* (Palazzo Ducale, Mantova)	1604-1605 *De familie Gonzaga in aanbidding voor de H. Drievuldigheid* (Palazzo Ducale, Mantova)	1604-1605 *La Trinidad adorada por la familia Gonzaga* (Palazzo Ducale, Mantova)
1607-1608 *Susanna and the Elders* (Galleria Borghese, Roma)	1607-1608 *Susanna und die Alten* (Galleria Borghese, Roma)	1607-1608 *Susanna en de ouderlingen* (Galleria Borghese, Roma)	1607-1608 *Susana y los viejos* (Galleria Borghese, Roma)
1610 *Elevation of the Cross* (Cathedral, Antwerpen)	1610 *Aufstellung des Kreuzes* (Cathedral, Antwerpen)	1610 *De kruisoprichting* (Cathedral, Antwerpen)	1610 *La elevación de la cruz* (Catedral, Antwerpen)
1611-1614 *Triptych of the Deposition from the Cross* (Cathedral, Antwerpen)	1611-1614 *Triptychon der Kreuzabnahme* (Cathedral, Antwerpen)	1611-1614 *Triptiek met de Kruisafneming* (Cathedral, Antwerpen)	1611-1614 *Tríptico del descendimiento de la cruz* (Catedral, Antwerpen)
1612 ca. *Dead Christ* (Staatliche Museen, Berlin)	1612 ca. *Der tote Christus* (Staatliche Museen, Berlin)	1612 ca. *Dode Christus* (Staatliche Museen, Berlin)	1612 ca. *El Cristo muerto* (Staatliche Museen, Berlin)
1620-1625 Antwerpen, Cycle for the Church of the Jesuits; Maria de' Medici cycle (Louvre, Paris)	1620-1625 Antwerpen, Jesuitenkirche; Bilderzyklus für Maria de' Medici (Louvre, Paris)	1620-1625 Antwerpen, Kerk van de Jezuïten; Schilderijen voor Maria de' Medici (Louvre, Paris)	1620-1625 Antwerpen, Ciclo de pinturas para la Iglesia de los Jesuitas; Ciclo de pinturas para María de Médici (Louvre, Paris)
1621-1625 *Apotheosis of Henry IV and the Proclamation of the Regency of Marie de Médicis* (Louvre, Paris)	1621-1625 *Apotheose Heinrichs IV. und Proklamation der Regentschaft Maria de' Medicis* (Louvre, Paris)	1621-1625 *Apotheose van Hendrik IV en Proclamatie van het regentschap van Maria de' Medici* (Louvre, Paris)	1621-1625 *La Apoteosis de Enrique IV y la proclamación de la regencia de María de Médici* (Louvre, Paris)
1633 ca. *The Garden of Love* (Prado, Madrid)	1633 ca. *Der Liebesgarten* (Prado, Madrid)	1633 ca. *Liefdestuin* (Prado, Madrid)	1633 ca. *El jardín del Amor* (Prado, Madrid)
1636-1638 *Saturn Devouring One of his Sons* (Prado, Madrid)	1636-1638 *Saturn verschlingt seinen Sohn* (Prado, Madrid)	1636-1638 *Kronos verslindt één van zijn kinderen* (Prado, Madrid)	1636-1638 *Saturno devorando a su hijo* (Prado, Madrid)

Jan van Eyck
(Maastricht 1390 ca. - Brugge 1441)

1422-1424 Den Haag
1425 Nominated court painter of the duke of Borgogne
1425-1427 *Madonna with Canon Van der Paele* (Musée des Beaux-Arts, Brugge)
1428 Lisboa, diplomatic mission
1432 Brugge, *Polyptych of the Mystic Lamb* (Saint Bavon, Gent)
1433 *Man with a Red Turban* (National Gallery, London)
1434 *The Arnolfini Portrait* (National Gallery, London)
1434-1435 *Rolin Madonna* (Louvre, Paris)
1436 *Triptych of Dresden* (Gemäldegalerie Alte Meister, Dresden)

1422-1424 Den Haag
1425 Hofmaler beim herzog von Burgund
1425-1427 *Madonna des Kanonikus Van der Paele* (Musée des Beaux-Arts, Brugge)
1428 Lisboa, diplomatische Mission
1432 Brugge, *Polyptychon des mystischen Lamms* (Saint Bavon, Gent)
1433 *Mann mit rotem Turban* (National Gallery, London)
1434 *Die Arnolfini-Hochzeit* (National Gallery, London)
1434-1435 *Madonna des Kanzlers Rolin* (Louvre, Paris)
1436 *Dresdner Marienaltar* (Gemäldegalerie Alte Meister, Dresden)

1422-1424 Den Haag
1425 Wordt benoemd tot hofschilder van de hertog van Borgogna
1425-1427 *Madonna met kanunnik Joris van der Paele* (Musée des Beaux-Arts, Brugge)
1428 Lisboa, diplomatieke missie
1432 Brugge, *Veelluik "Het Lam Gods"* (Saint Bavon, Gent)
1433 *Man met de rode tulband* (National Gallery, London)
1434 *Portret van Giovanni Arnolfini en zijn vrouw* (National Gallery, London)
1434-1435 *Madonna met Kanselier Rolin* (Louvre, Paris)
1436 *Dresdense reisaltaartje* (Gemäldegalerie Alte Meister, Dresden)

1422-1424 Den Haag
1425 Nombrado pintor de corte del duque de Borgoña
1425-1427 *Virgen del canónigo Van der Paele* (Musée des Beaux-Arts, Brugge)
1428 Lisboa, misión diplomática
1432 Brugge, *Políptico del Cordero Místico* (Saint Bavon, Gent)
1433 *El hombre del turbante rojo* (National Gallery, London)
1434 *Retrato de Giovanni Arnolfini y esposa* (National Gallery, London)
1434-1435 *Virgen del Canciller Rolin* (Louvre, Paris)
1436 *Tríptico de Dresde* (Gemäldegalerie Alte Meister, Dresden)

Diego Velázquez
(Sevilla 1599 - Madrid 1660)

1618 *An Old Woman Cooking Eggs* (National Gallery of Scotland, Edimburgh)
1619 *Adoration of the Magi* (Prado, Madrid)
1624-1627 ca. *Philip IV* (Prado, Madrid)
1628-1629 *Triumph of Bacchus* (Prado, Madrid)
1630 *The Forge of Vulcan* (Prado, Madrid)
1632 *Philip IV of Spain* (National Gallery, London)
1635 ca. *Surrender of Breda* (Prado, Madrid)
1638-1640 *Equestrian Portrait of Margaret of Austria* (Prado, Madrid)
1643-1645 *The Dwarf Francisco Lezcano, known as "El Nino de Vallecas"* (Prado, Madrid)
1650 *Portrait of Innocent X* (Galleria Doria Pamphilj, Roma)
1656 *Las Meninas* (Prado, Madrid)

1618 *Alte Frau, beim Eierbraten* (National Gallery of Scotland, Edimburgh)
1619 *Anbetung der Könige* (Prado, Madrid)
1624-1627 ca. *Porträt des Philipp IV.* (Prado, Madrid)
1628-1629 *Triumph des Bacchus* (Prado, Madrid)
1630 *Die Schmiede des Vulkan* (Prado, Madrid)
1632 *Philipp IV. von Spanien* (National Gallery, London)
1635 ca. *Die Übergabe von Breda* (Prado, Madrid)
1638-1640 *Margherita von Österreich zu Pferd* (Prado, Madrid)
1643-1645 *Porträt des Hofzwerges Francisco Lezcano, Kind des Vallecas* (Prado, Madrid)
1650 *Papst Innozenz X.* (Galleria Doria Pamphilj, Roma)
1656 *Die Hoffräulein* (Prado, Madrid)

1618 *Een oude vrouw bakt eieren* (National Gallery of Scotland, Edimburgh)
1619 *Aanbidding der Wijzen* (Prado, Madrid)
1624-1627 ca. *Filips IV* (Prado, Madrid)
1628-1629 *Triomf van Bacchus* (Prado, Madrid)
1630 *De smidse van Vulcanus* (Prado, Madrid)
1632 *Filips IV van Spanje* (National Gallery, London)
1635 ca. *De overgave van Breda* (Prado, Madrid)
1638-1640 *Marghareta van Oostenrijk te paard* (Prado, Madrid)
1643-1645 *De jongen uit Vallecas* (Prado, Madrid)
1650 *Paus Innocentius X* (Galleria Doria Pamphilj, Roma)
1656 *Les Ménine* (Prado, Madrid)

1618 *Vieja friendo huevos* (National Gallery of Scotland, Edimburgh)
1619 *La adoración de los Magos* (Prado, Madrid)
1624-1627 ca. *Felipe IV* (Prado, Madrid)
1628-1629 *El triunfo de Baco o Los borrachos* (Prado, Madrid)
1630 *La fragua de Vulcano* (Prado, Madrid)
1632 *Felipe IV de España* (National Gallery, London)
1635 ca. *Las lanzas o La rendición de Breda* (Prado, Madrid)
1638-1640 *La reina Margarita de Austria a caballo* (Prado, Madrid)
1643-1645 *Francisco Lezcano, el Niño de Vallecas* (Prado, Madrid)
1650 *Papa Inocencio X* (Galleria Doria Pamphilj, Roma)
1656 *Las Meninas o La familia de Felipe IV* (Prado, Madrid)

Johannes Vermeer
(Delft 1632 – 1675)

1654-1656 *Christ in the House of Martha and Mary* (National Gallery of Scotland, Edinburgh)
1656-1657 *A Young Woman Sleeping* (The Metropolitan Museum of Art, New York)
1657-1658 *The Little Street* (Rijksmuseum, Amsterdam)
1659 ca. *Girl Reading a Letter* (Gemäldegalerie Alte Meister, Dresden)
1660-1661 *View of Delft* (Mauritshuis, Den Haag)
1664-1665 *Young Woman With a Water Pitcher* (The Metropolitan Museum of Art, New York)
1665 ca. *Girl with a Turban* or *Girl with a Pearl Earring* (Mauritshuis, Den Haag)
1665-1666 *The Art of Painting* (Kunsthistorisches Museum, Wien)
1667-1670 *The Love Letter* (Rijksmuseum, Amsterdam)
1669 *The Astronomer* (Louvre, Paris)
1670 ca. *The Lacemaker* (Louvre, Paris)

1654-1656 *Christus zu Gast bei Martha und Maria* (National Gallery of Scotland, Edinburgh)
1656-1657 *Schlafendes Mädchen am Tisch* (The Metropolitan Museum of Art, New York)
1657-1658 *Gasse in Delft (Die kleine Straße)* (Rijksmuseum, Amsterdam)
1659 ca. *Briefelesendes Mädchen am offenen Fenster* (Gemäldegalerie Alte Meister, Dresden)
1660-1661 *Ansicht von Delft* (Mauritshuis, Den Haag)
1664-1665 *Junge Frau mit Wasserkrug* (The Metropolitan Museum of Art, New York)
1665 ca. *Bildnis eines Mädchens mit Turban* oder *Das Mädchen mit dem Perlenohrring* (Mauritshuis, Den Haag)
1665-1666 *Das Atelier des Malers* (Kunsthistorisches Museum, Wien)
1667-1670 *Der Liebesbrief* (Rijksmuseum, Amsterdam)
1669 *Der Astronom* (Louvre, Paris)
1670 ca. *Die Spitzenklöpplerin* (Louvre, Paris)

1654-1656 *Christus in het huis van Martha en Maria* (National Gallery of Scotland, Edinburgh)
1656-1657 *Slapend meisje* (The Metropolitan Museum of Art, New York)
1657-1658 *Gezicht op huizen in Delft ('Het straatje')* (Rijksmuseum, Amsterdam)
1659 ca. *Briefl ezend meisje bij het venster* (Gemäldegalerie Alte Meister, Dresden)
1660-1661 *Gezicht op Delft* (Mauritshuis, Den Haag)
1664-1665 *Vrouw met waterkan* (The Metropolitan Museum of Art, New York)
1665 ca. *Meisje met de parel* (Mauritshuis, Den Haag)
1665-1666 *De schilderkunst* (Kunsthistorisches Museum, Wien)
1667-1670 *De liefdesbrief* (Rijksmuseum, Amsterdam)
1669 *De astronoom* (Louvre, Paris)
1670 ca. *De kantwerkster* (Louvre, Paris)

1654-1656 *Cristo en casa de Marta y María* (National Gallery of Scotland, Edinburgh)
1656-1657 *Muchacha dormida* (The Metropolitan Museum of Art, New York)
1657-1658 *La callejuela* (Rijksmuseum, Amsterdam)
1659 ca. *Muchacha leyendo una carta* (Gemäldegalerie Alte Meister, Dresden)
1660-1661 *Vista de Delft* (Mauritshuis, Den Haag)
1664-1665 *Mujer con una jarra de agua* (The Metropolitan Museum of Art, New York)
1665 ca. *La joven de la perla* o *Muchacha con turbante* (Mauritshuis, Den Haag)
1665-1666 *El taller del pintor* o *Alegoría real* (Kunsthistorisches Museum, Wien)
1667-1670 *La carta de amor* (Rijksmuseum, Amsterdam)
1669 *El astrónomo* (Louvre, Paris)
1670 ca. *La encajera* (Louvre, Paris)

Francisco de Zurbarán
(Fuente de Cantos 1598 - Madrid 1664)

1629 He moved to Seville to put himself at the service of the city's powerful monastic orders; *Lying-in-State of Saint Bonaventure* (Louvre, Paris)
1633 *Still Life with Lemons, Oranges and a Rose* (Norton Simon Foundation, Pasadena, California)
1634 He was called to Madrid to paint several canvases for the Buen Ritiro palace
1635 He returned to Seville, working in the city, Llerena and Jérez de la Frontiera
1635-1640 *St Francis of Assisi* (National Gallery, London); *Adoration of the Magi* (Musée des Beaux Arts, Grenoble); *Santa Casilda* (Prado, Madrid)
1640-1658 He accepted numerous commissions for Latin American

1629 Siedelt er nach Sevilla um und arbeitet für die mächtigen Klosterorden der Stadt; *Aufbahrung des Leichnams des Heiligen Bonaventura* (Louvre, Paris)
1633 *Stillleben mit Zitronen, Orangen und einer Rose* (Norton Simon Foundation, Pasadena, California)
1634 Wird er acht Monate lang nach Madrid berufen, um einige Gemälde für den Palast "del Buen Retiro" anzufertigen
1635 Kehrt er nach Sevilla zurück und nimmt seine Tätigkeit in der Stadt, in Llerena und in Jérez de la Frontiera wieder auf
1635-1640 *Der Heilige Franziskus von Assisi* (National Gallery, London); *Anbetung der heiligen drei Könige* (Musée des Beaux Arts, Grenoble); *Die Heilige Casilda* (Prado, Madrid)
1640-1658 Übernimmt er zahlreiche Aufträge für Klöster in Südamerika

1629 Verhuist naar Sevilla om in dienst te treden van de machtige kloosterordes die in de stad aanwezig zijn; *Tentoonstelling van het lichaam van de heilige Bonaventura* (Louvre, Paris)
1633 *Stilleven met bord cederappels, mand met sinasappels en beker met roos* (Norton Simon Foundation, Pasadena, California)
1634 Wordt voor acht maanden naar Madrid opgeroepen om enkele doeken voor het Buen Retiro paleis te schilderen
1635 Keert terug naar Sevilla en hervat zijn werk in de stad, in Llerena en in Jérez de la Frontiera
1635-1640 *De heilige Franciscus van Assisi* (National Gallery, London); *Aanbidding der Wijzen* (Musée des Beaux Arts, Grenoble); *Heilige Casilda* (Prado, Madrid)
1640-1658 Aanvaardt talrijke opdrachten voor kloosters in Zuid-Amerika

1629 Se trasfiere a Sevilla para trabajar al servicio de las potentes órdenes monásticas que se encuentran en la ciudad; *Exposición del cuerpo de San Buenaventura* (Louvre, Paris)
1633 *Naturaleza muerta con plato de cedros, cesto de naranjas y taza con rosa* (Norton Simon Foundation, Pasadena, California)
1634 Fue llamado por ocho meses a Madrid para pintar algunos lienzos para el palacio del Buen Retiro
1635 Vuelve a Sevilla y retoma la actividad en la ciudad, en Llerena y en Jérez de la Frontera
1635-1640 *San Francisco de Asís* (National Gallery, London); *Adoración de los Reyes Magos* (Musée des Beaux Arts, Grenoble); *Santa Casilda* (Prado, Madrid)
1640-1658 acepta numerosos encargos para conventos de América Latina

Index of Names
Namensindex
Inhoudsopgave van de namen
Índice de los nombres

© 2011 SCALA Group S.p.A.
62, via Chiantigiana
50012 Bagno a Ripoli
Florence (Italy)

www.scalarchives.com

Text and picture research: Violetta Farina

Translations: *Parole s.a.s.*, Riano (Roma)

Created and distributed in cooperation with Frechmann Kolón GmbH
www.frechmann.com

Project Management: E-ducation.it S.p.A. Firenze

ISBN (English): 978-88-6637-102-1
ISBN (German): 978-88-6637-101-4
ISBN (Dutch): 978-88-6637-103-8

Printed in China 2011